まちごとインド
北インド014

バラナシ
ガンジス河と「世界軸」
［モノクロノートブック版］

ガンジス河の岸辺に広がるヒンドゥー教の聖地バラナシ。ヒンドゥー教では、死後、遺灰をガンジス河に流すとその魂は天界へのぼると信じられ、ガンジス河岸辺のガートの火葬場では、むき出しのまま遺体が焼かれている。

そうしたことからバラナシは「生と死がまじわる場所」「この世の果て」とたとえられ、ガンジス河岸辺からこの街の歴史ははじまった。街は火葬場を中心に同心円を描くように広がり、3000年ものあいだ聖地の地位をたもち続けてきた。バラナシを訪れ、ガンジス河で沐浴すると

魂は清められると信じられ、インド各地からの巡礼者が集まっている。

聖地であるがゆえ諸勢力による破壊と再生が繰り返され、18世紀以降、ラージプート、ヴィジャヤナガル、ベンガル、パンジャーブなどインド各地のマハラジャがこぞってバラナシに寺院や宮殿を建て、現在見られる沐浴用のガートが整備された。文化や言葉が異なる多様なインドにあって、バラナシはヒンドゥー世界の象徴的存在となっている。

GHAT

まちごとパブリッシング

|まちごとインド|北インド 014|

バラナシ

ガンジス河と「世界軸」

Asia City Guide Production
North India 014

Varanasi

वाराणसी/وارانسی

まちごとインド
北インド 014
バラナシ

Contents

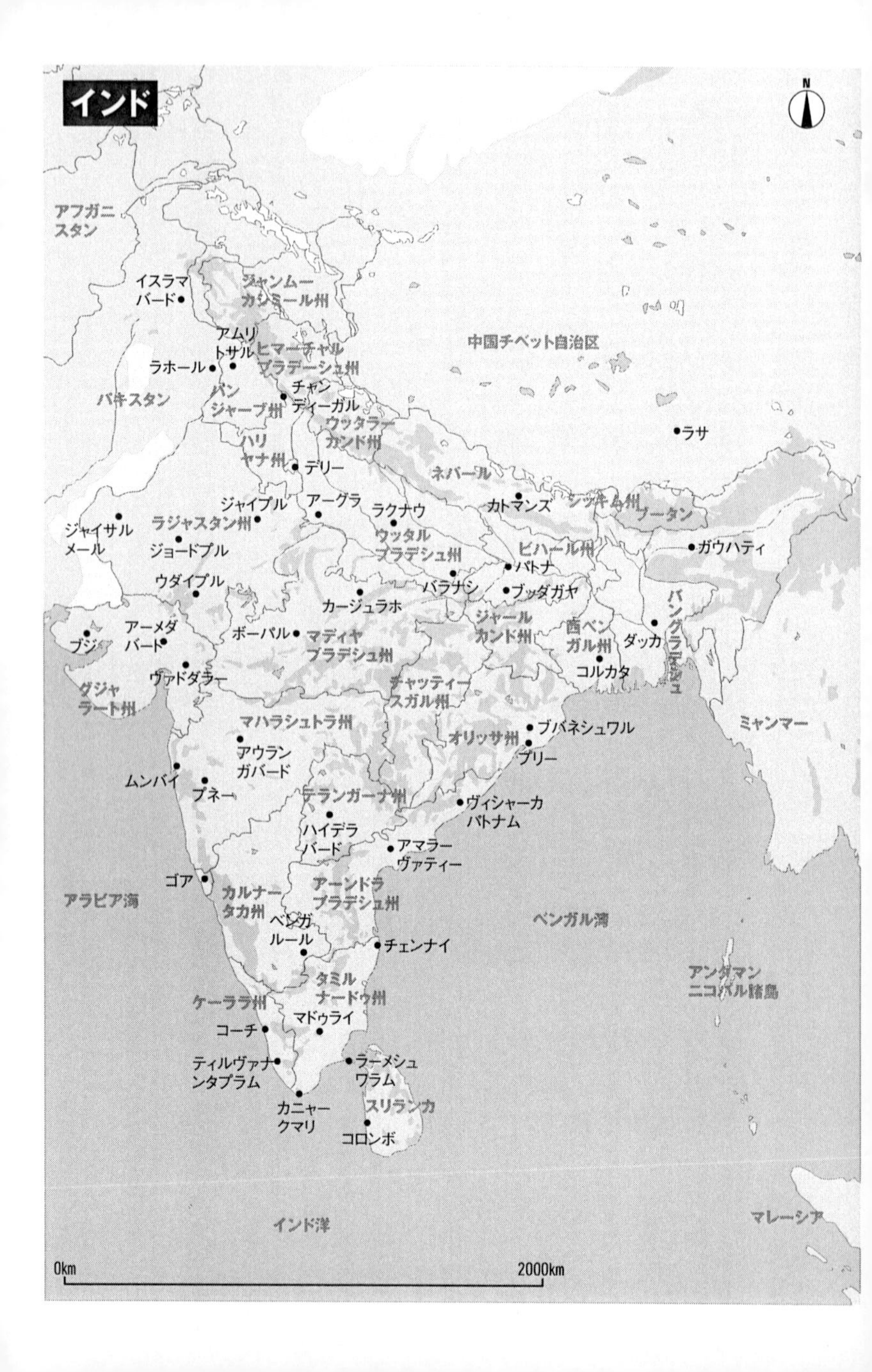
インド
N
アフガニスタン
イスラマバード
ジャンムーカシミール州
アムリトサル
ヒマーチャルプラデーシュ州
ラホール
パキスタン
パンジャーブ州
チャンディーガル
ウッタラーカンド州
ハリヤナ州
デリー
中国チベット自治区
ラサ
ネパール
カトマンズ
シッキム州
ブータン
ジャイプル
アーグラ
ラクナウ
ジャイサルメール
ラジャスタン州
ジョードプル
ウッタルプラデシュ州
ビハール州
パトナ
ガウハティ
バラナシ
ブッダガヤ
ウダイプル
カージュラホ
ジャールカンド州
西ベンガル州
バングラデシュ
ダッカ
ブジ
アーメダバード
ボーパル
マディヤプラデシュ州
コルカタ
ヴァドダラー
チャッティースガル州
グジャラート州
マハラシュトラ州
オリッサ州
ブバネシュワル
プリー
ミャンマー
アウランガバード
ムンバイ
プネー
テランガーナ州
ヴィシャーカパトナム
ハイデラバード
アマラーヴァティー
ゴア
アラビア海
カルナータカ州
アーンドラプラデシュ州
ベンガル湾
ベンガルール
チェンナイ
アンダマンニコバル諸島
ケーララ州
タミルナードゥ州
マドゥライ
コーチ
ティルヴァナンタプラム
ラーメシュワラム
カニャークマリ
スリランカ
コロンボ
インド洋
マレーシア
0km
2000km

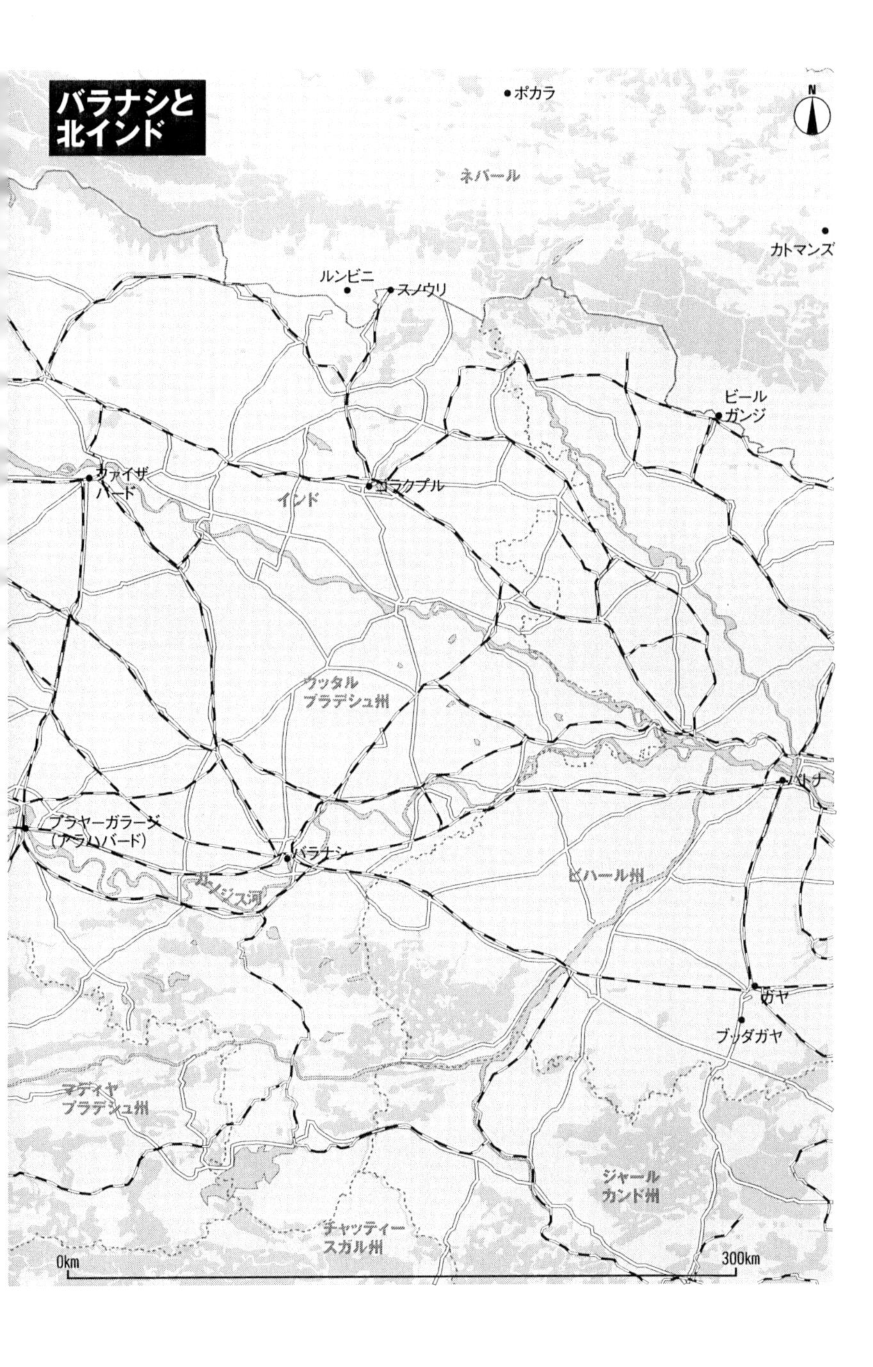
バラナシと
北インド
ポカラ
N
ネパール
カトマンズ
ルンビニ
スノウリ
ビール
ガンジ
ファイザ
バード
ゴラクプル
インド
ウッタル
プラデシュ州
パトナ
プラヤーガラージ
（アラハバード）
バラナシ
ガンジス河
ビハール州
ガヤ
ブッダガヤ
マディヤ
プラデシュ州
ジャール
カンド州
チャッティー
スガル州
0km
300km

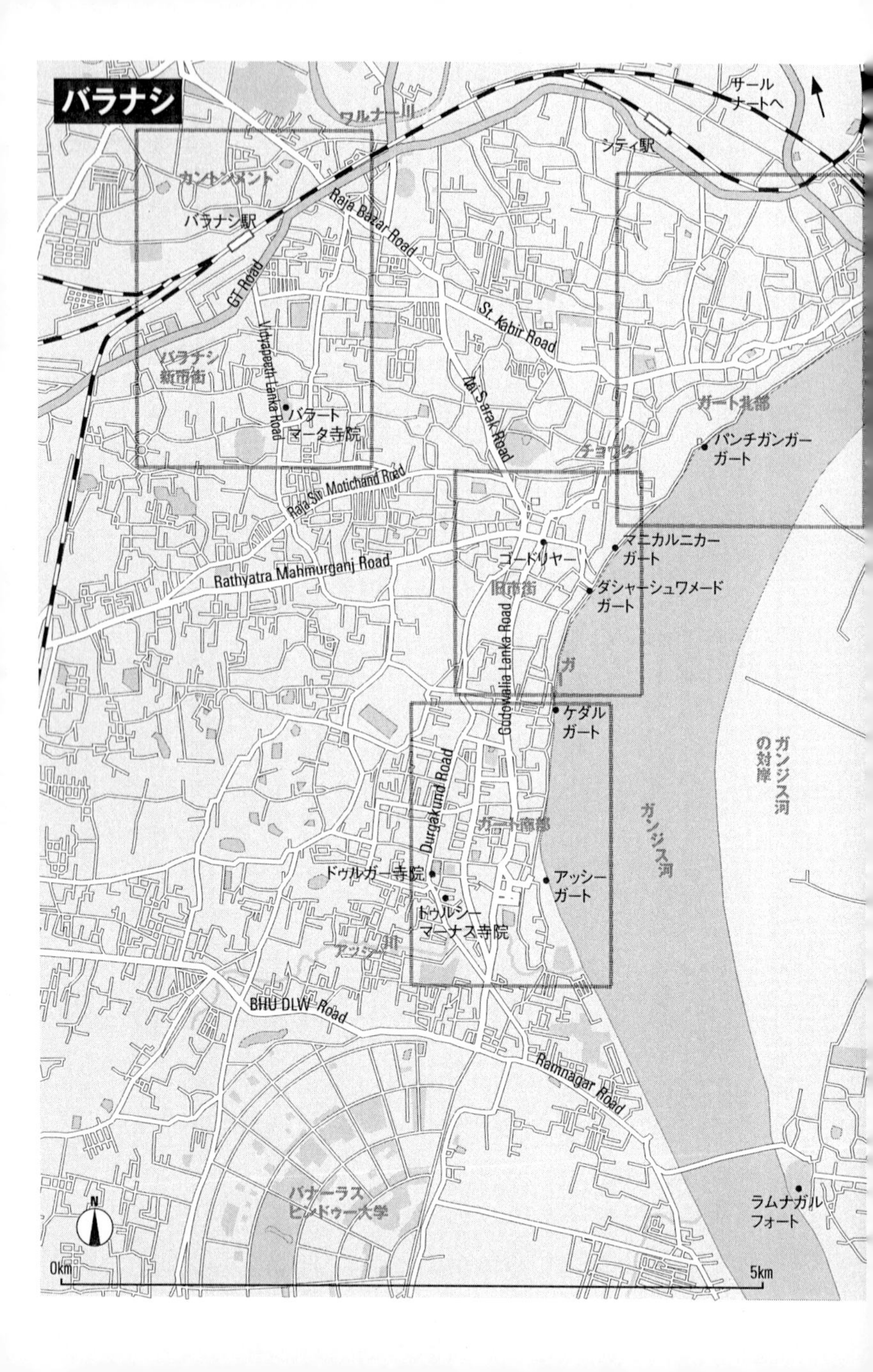
バラナシ
サール
ナートへ
ワルナー川
シティ駅
カントンメント
バラナシ駅
Raja Bazar Road
GT Road
St. Kabir Road
Vidyapeeth Lanka Road
バラナシ新市街
Nai Sarak Road
ガート北部
バラート
マータ寺院
チョウク
パンチガンガー
ガート
Raja Sir Motichand Road
マニカルニカー
ガート
ゴードリヤー
Rathyatra Mahmurganj Road
旧市街
ダシャーシュワメード
ガート
Godowlia Lanka Road
ケダル
ガート
Durgakund Road
ガンジス河
の対岸
ガンジス河
ガート南部
ドゥルガー寺院
アッシー
ガート
トゥルシー
マーナス寺院
アッシー川
BHU DLW Road
Ramnagar Road
バナーラス
ヒンドゥー大学
ラムナガル
フォート
N
0km
5km

★★★
ガンジス河 *Ganges*
ガート *Ghat*
ダシャーシュワメード・ガート *Dashashwamedh Ghat*
マニカルニカー・ガート *Manikarnika Ghat*

★★☆
ケダル・ガート *Kedar Ghat*
パンチガンガー・ガート *Panchganga Ghat*

★☆☆
ゴードリヤー *Godowlia*
アッシー・ガート *Assi Ghat*
ドゥルガー寺院 *Durga Mandir*
トゥルシーマーナス寺院 *Tulsi Manas Mandir*
チョウク *Chowk*
カントンメント *Cantonment*
ナイ・サラク *Nai Sarak*
バラナシ駅 *Varanasi Junction Railway Station(Varanasi R.S.)*
グランド・トランク・ロード *Grand Trunk Road*
バーラト・マータ寺院 *Bharat Mata Mandir*
バナーラス・ヒンドゥー大学 *Banaras Hindu University*
ガンジス河の対岸 *Opposite Bank*
ラムナガル・フォート *Ramnagar Fort*

Introduction

人々の想いは河畔へと

**沐浴する人々、焼かれる遺体
すべての光景が強烈な色彩となって眼瞼に灼きつく
ガンジス河の岸辺ヒンドゥー教「最高の聖地」**

ガンジスのほとりで

ヒマラヤから流れるガンジス河は「母なるガンジス」と呼ばれ、インド人の心のよりどころとなってきた。古くから河そのものが信仰の対象とされ、ガンジス河で沐浴すれば、あらゆる罪やけがれが清められるのだという。サンスクリット語の聖地ティールタはもともと「水場」を意味し、ガンジス河のほとりにはハルドワール、アラハバードなど多くの聖地があり、バラナシはその最高のものとされる。

大いなる火葬場

バラナシで荼毘にふされ、その遺灰がガンジス河に流されると、魂は天界にゆけると信じられていることから、ヒンドゥー教徒は「バラナシで死を」「遺灰はガンジス河に」と願っている。この街にはインド中から遺体が集まってきて、ガンジス河ほとりのガートには、死者を焼くための火葬場がある。くまれた薪に遺体を乗せ、火を入れてから「数時間かけて遺体を焼く」「人間の身体が灰になっていく」という光景が絶えることなく続いている。

バラナシの都市空間

　ガンジス河の岸辺、ワルナー川とアッシー川のあいだに開けたことから地名がとられたバラナシ。街はガンジス河に臨む火葬場マニカルニカー・ガート、シヴァ神をまつるヴィシュヴァナート寺院を中心に同心円状に広がり、結界のようにめぐらされた巡礼路が走っている。こうした信仰とともにつくられた旧市街、その北側にイギリス統治時代につくられたカントメント(新市街)、また旧市街南側のバナーラス・ヒンドゥー大学のある3つの地域に街はわけられる。3000年前から聖地の地位にあったバラナシも、聖地であるがゆえに何度も破壊をこうむり、そのたびに再建されてきた。現在の建物はほとんどが18世紀以降のものだという。

インド屈指の宗教都市

　そこへ巡礼すれば魂が浄化されるという七聖都(ハルドワール、アヨーディヤー、マトゥラー、カーンチープラム、バラナシ、ウッジャイン、ドワールカー)、祖霊を供養するための三聖地(アラハバード、バラナシ、ガヤー)など2000もの聖地があると言われるヒンドゥー教にあって、ガンジス河畔に開けたバラナシはヒンドゥー教で最高格の聖地となっている。この街には1500と言われるヒンドゥー寺院のほか、中世以降、イスラム勢力の侵入を受けたインドの歴史を映すように250を超すモスクがあるという。また街の郊外にはブッダがその教えをはじめて説いたサールナート(仏教の聖地)が位置する。

ヒンドゥー教徒が心のよりどころとするガンジス河

水を汲む親子、ガンジス河の水も生活に使われる

リキシャはここまで、ゴードリヤーの交差点

ガンジス河でボートに乗る

Ganges

ガンジス河鑑賞案内

「ガンガー」の名で呼ばれる悠久の大河
バラナシでは三日月状に流れ
沐浴場と火葬場が岸辺に位置する

ガンジス河 ★★★

Ganges ㋪ गंगा ㋒ دریائے گنگا

ヒマラヤからベンガル湾まで、北インドの平原をうるおしながら流れる長さ2510㎞のガンジス河(ガンガー)。ヒマラヤ山脈のガンゴトリ山(標高6614m)の氷河に端を発し、ハリドワールで平原に出て、プラヤーガラージ(アラハバード)でジャムナ河と合流して、バラナシにいたる。ガンジス河はバラナシを前に大きく蛇行して流れをヒマラヤへと向け、この街では逆流するように南から北へ流れる。その点から、バラナシは「ガンジスの聖地」と見られるようになり、シヴァ神の新たな力を受けてからベンガル湾へ注ぐ。バラナシで沐浴すると「あらゆる罪が浄められる」といい、ヒンドゥー教ではガンジス河自体が女神として神格化されている。とくに朝のガンジス河は美しく、夜にはプージャ(祭祀)が行なわれる。また、この河の水は「ガンガージャル」といって、壺に入れてもちかえる人の姿がある。バラナシでは左岸(西岸)が神聖化されているのに対して、対岸の右岸(東岸)は不浄の地とされ、ほとんど何もない。恒河ともいう。

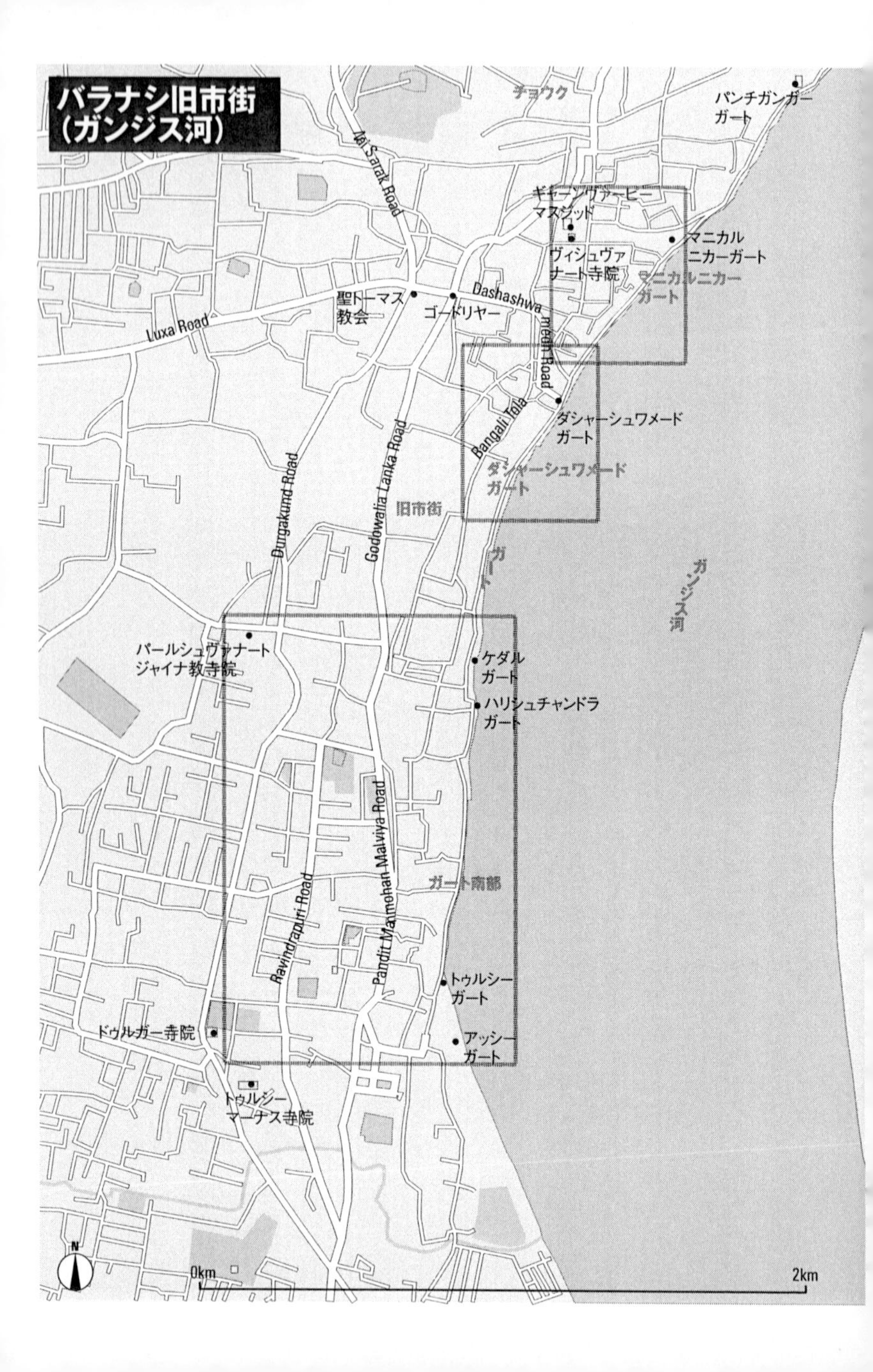
バラナシ旧市街
（ガンジス河）
チョウク
パンチガンガー
ガート
Nai Sarak Road
ギャーンヴァーピー
マスジッド
マニカル
ニカーガート
ヴィシュヴァ
ナート寺院
マニカルニカー
ガート
聖トーマス
教会
ゴードリヤー
Dashashwa
medh Road
Luxa Road
Bangali Tola
ダシャーシュワメード
ガート
ダシャーシュワメード
ガート
Godowalia Lanka Road
Durgakund Road
旧市街
ガート
ガンジス河
パールシュヴァナート
ジャイナ教寺院
ケダル
ガート
ハリシュチャンドラ
ガート
Pandit Mamohan Malviya Road
Ravindrapuri Road
ガート南部
トゥルシー
ガート
アッシー
ガート
ドゥルガー寺院
トゥルシー
マーナス寺院
N
0km
2km

ガート★★★

Ghat／Ⓗ घाट　Ⓤ گھاٹ

　バラナシという名前は、北側のヴァルナ川と南側のアッシー川のあいだの街という意味で、この両河川のあいだ(ガンジス河西岸)の6kmにわたって階段式の沐浴場ガートが続く。ガートとは「階段」のことで、インド亜大陸の東ガーツ、西ガーツ山脈と同様の意味でもある。紀元前2500年〜前1500年ごろのインダス文明でも、「水は聖なるもの」だとされ、モヘンジョ・ダロやハラッパ遺跡からも沐浴場やガートが確認されている。時代や文献によって数は異なるが、バラナシには84のガートがあるとされ、「マニカルニカー・ガート」と「ハリシュチャンドラ・ガート」が死者の遺体を焼く「火葬場(死のガート)」、そのほかのガートが身を浸して浄めたり、プージャの行なわれる「沐浴場(生のガート)」となっている。これらのガートは、それぞれ伝説や神話に彩られていて、現在のガートはマラータ族がインドを統治した18世紀以降につくられた。

★★★

ガンジス河 *Ganges*
ガート *Ghat*
ダシャーシュワメード・ガート *Dashashwamedh Ghat*
マニカルニカー・ガート *Manikarnika Ghat*

★★☆

ベンガリー・トラ *Bangali Tola*
ケダル・ガート *Kedar Ghat*
パンチガンガー・ガート *Panchganga Ghat*

★☆☆

ゴードリヤー *Godowlia*
ダシャーシュワメーダ・ロード *Dasashwamedh Road*
ヴィシュヴァナート寺院 *Vishwanath Mandir*
ギャーンヴァーピー・マスジッド *Gyanvapi Masjid*
ハリシュチャンドラ・ガート *Harishchandra Ghat*
パールシュヴァナート・ジャイナ教寺院 *Parshvanath Jain Mandir*
トゥルシー・ガート *Tulsi Ghat*
アッシー・ガート *Assi Ghat*
ドゥルガー寺院 *Durga Mandir*
トゥルシーマーナス寺院 *Tulsi Manas Mandir*
チョウク *Chowk*
聖トーマス教会 *St.Thomas Church*
ナイ・サラク *Nai Sarak*

主要ガートと3つの中心

バラナシ発祥の地である北端の「アディ・ケシャバ・ガート」、イスラム以前のバラナシの中心地「パンチガンガー・ガート」、遺体が焼かれる火葬場「マニカルニカー・ガート」、最大の沐浴場「ダシャーシュワメード・ガート」、旧市街南端の「アッシー・ガート」が重要なガートとされる。これらは北から頭、胸、へそ、もも、足としてヴィシュヌ神の身体に対応するという。北から南へ一定間隔で、重要なガートがあるように、バラナシ旧市街はパンチガンガー・ガートのある「オームカレシュヴァラ（北の中心）」、ヴィシュヴァナート寺院やダシャーシュワメード・ガートのある「ヴィシュワナート（中央）」、もうひとつの火葬場ハリシュチャンドラ・ガートの隣接する南の「ケダレシュヴァラ（南の中心）」が核となってきた。これらはいずれも洪水の難から逃れられる台地上にあり、イスラム勢力の侵入、人口の増加によって、南へ南へと街が拡大していった。そして北の中心、中央、南の中心（3つの台地）は、シヴァ神の三叉の戟と重ねて見られ、世界が水没しても、バラナシは残るという。この街が聖地として発展したのは、自然堤防上にあるという地形的要素もあげられる。

ガンジス河に臨む寺院（宮殿）★☆☆

Mandir ／ ㊝मंदिर ／ ㋒مندر

現在、バラナシで見られるガートは、ムガル帝国が弱体化し、各地方の勢力が台頭した18世紀以降に整備された。ジャイプル、マラータ、カシミールなど、各地のマハラジャ（藩王）はバラナシに寺院や別荘を建立し、マハラジャが巡礼したときの宿泊地とした。またインド各地からの巡礼者は自らの地域、宗派で決められたガートで沐浴する（ジャイプルの人はマンマンディル・ガート、アラハバードの人はプラヤーガ・ガートでというように）。

夜、プージャが行なわれるダシャーシュワメード・ガート

Dashashwamedh Ghat

ダシャーシュワメードガート鑑賞案内

バラナシの古名カーシーという名前は
マヌ王朝第7代のカサ王に由来する
神話と伝説に彩られた街の核心部

ヴィシュワナート(バラナシの中心) ★★★

Vishwanath ㊩विश्वनाथ／㋒وشوناتھ

シヴァ・リンガを安置し、428年以来、破壊と再生を繰り返してきた「ヴィシュワナート寺院」を中心とし、遺体が各地から運び込まれ、焼かれていく大いなる火葬場の「マニカルニカー・ガート」を北限、ガンジス河を東限、バラナシ最大の沐浴場である「ダシャーシュワメード・ガート」を南限、またこれらガートへの入口となるゴードリヤーを西限とする一帯がバラナシの中心部で、「ヴィシュワナータ・カーンダ」と呼ぶ。5世紀ごろには、この「ヴィシュワナータ・カーンダ」をふくむバラナシの3つの聖域(オームカレシュヴァラ、ヴィシュワナート、ケダレシュヴァラ)が確立されていて、なかでも北のオームカレシュヴァラに街の中心があったが、1194年のイスラム勢力アイバクがこの地を征服し、1494年にはほとんどのヒンドゥー寺院が破壊されて、ヒンドゥー教徒は南のヴィシュワナートに遷った。以来、ヴィシュワナートがバラナシで最高の聖域となり、街の隅々にまで祠とリンガが残っている。

ゴードリヤー ★☆☆

Godowlia ㊩गोदौलिया ㋒گودولیا

ゴードリヤーは、バラナシ旧市街、ガンジス河岸辺への

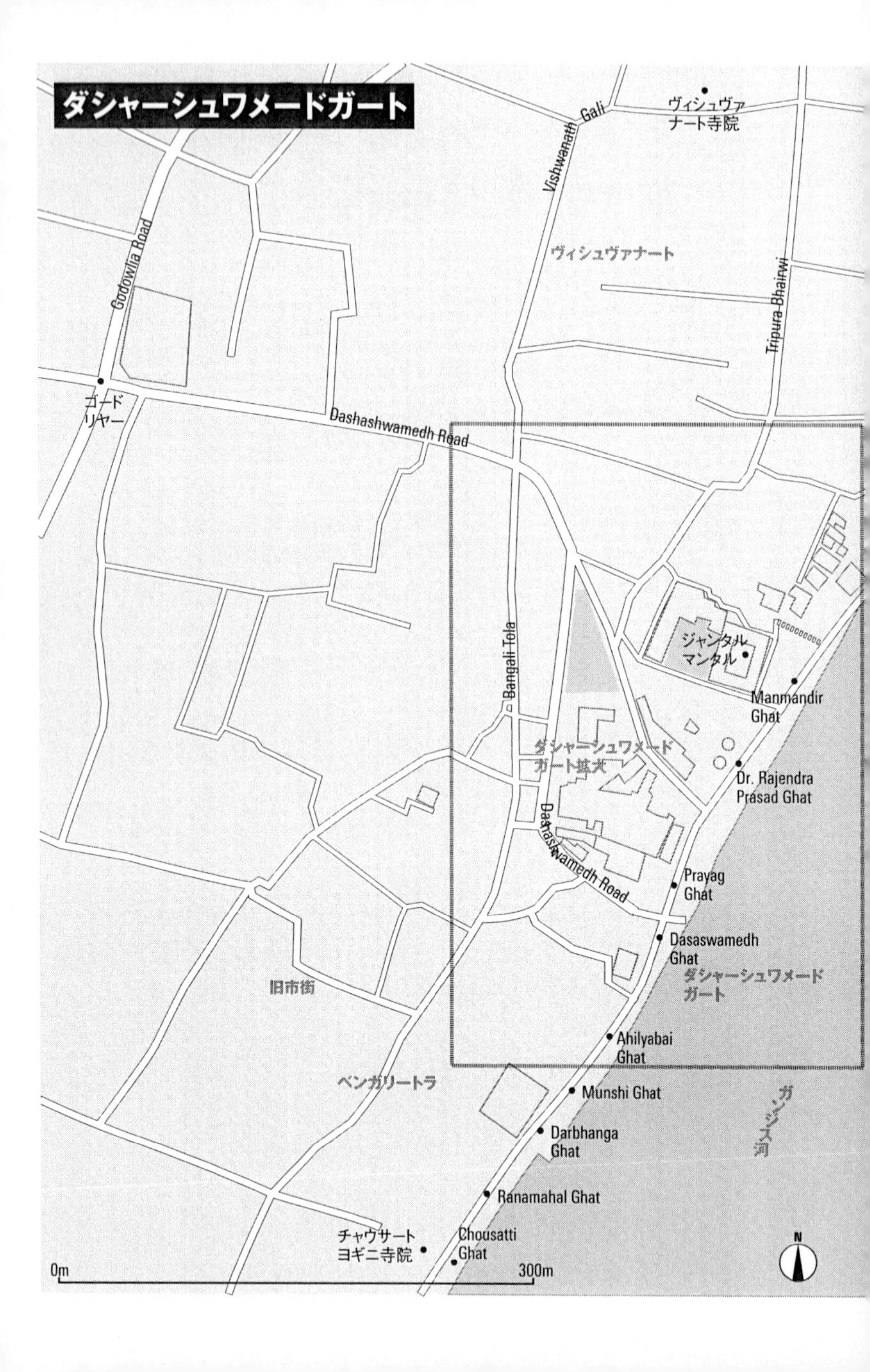

ダシャーシュワメードガート
Vishwanath Gali
ヴィシュヴァナート寺院
Godowlia Road
ヴィシュヴァナート
Tripura Bhairwi
ゴードリヤー
Dashashwamedh Road
Bangali Tola
ジャンタルマンタル
Manmandir Ghat
ダシャーシュワメードガート拡大
Dr. Rajendra Prasad Ghat
Dashashwamedh Road
Prayag Ghat
Dasaswamedh Ghat
ダシャーシュワメードガート
旧市街
Ahilyabai Ghat
ベンガリートラ
Munshi Ghat
ガンジス河
Darbhanga Ghat
Ranamahal Ghat
チャウサートヨギニ寺院
Chousatti Ghat
0m
300m
N

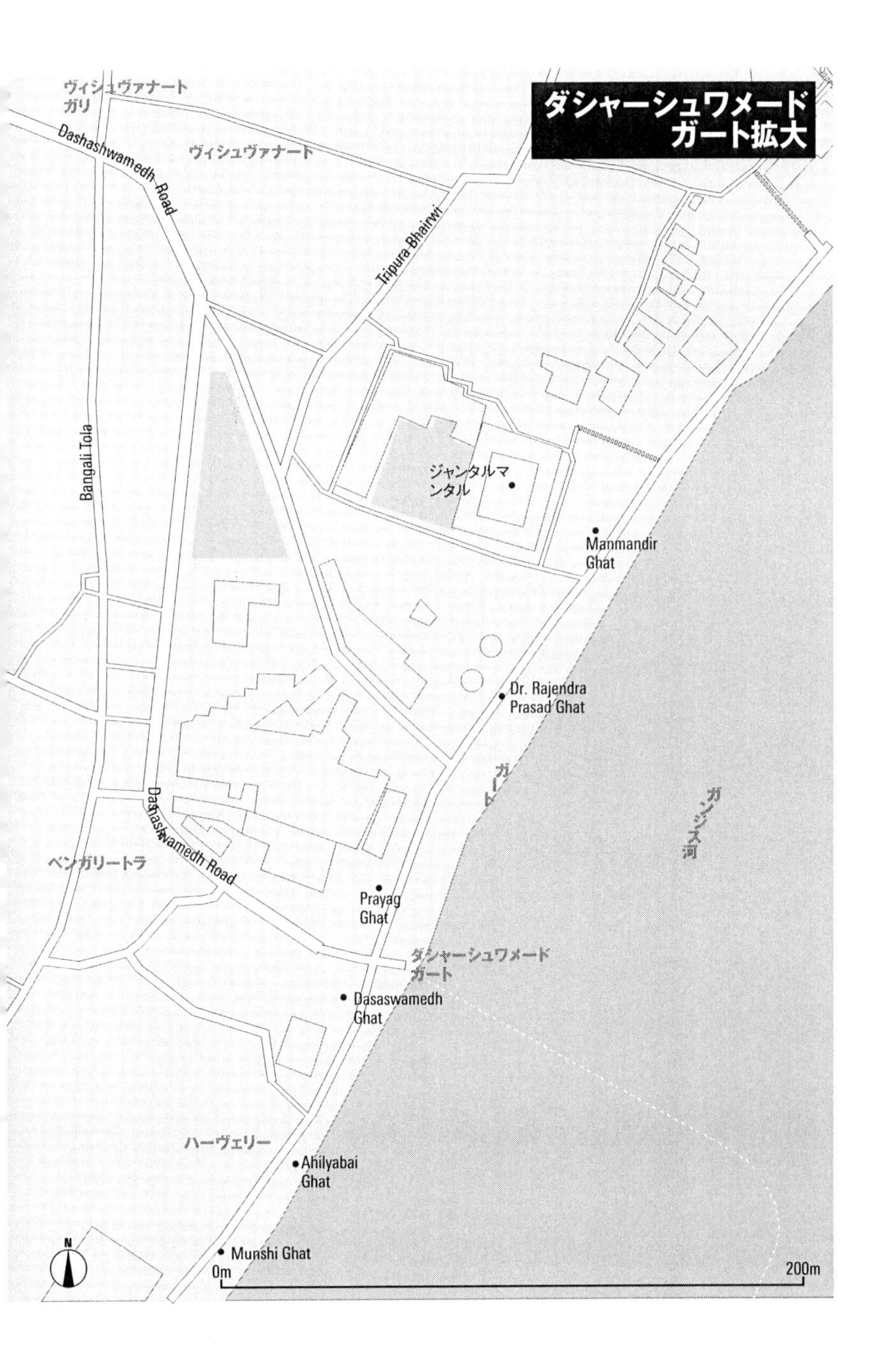
ダシャーシュワメード
ガート拡大
ヴィシュヴァナート
ガリ
ヴィシュヴァナート
Dashashwamedh Road
Tripura Bhairwi
Bangali Tola
ジャンタルマ
ンタル
Manmandir
Ghat
Dr. Rajendra
Prasad Ghat
ガート
ガンジス河
Dashashwamedh Road
ベンガリートラ
Prayag
Ghat
ダシャーシュワメード
ガート
Dasaswamedh
Ghat
ハーヴェリー
Ahilyabai
Ghat
Munshi Ghat
N
0m
200m

入口となる地点で、店舗の集まるバラナシ市街の中心となっている。ここはもともと北のヴァルナ川と、南のアッシー川から伸びる自然堤防(台地)の切れる地点で、ゴードリヤーからガンジス河に向かって水路が伸びていた。イギリス植民地時代の19世紀末以降、水路が埋め立てられ、ゴードリヤー北東のチョウクへ伸びるゴードリヤー・ロード、バラナシ駅(カントンメント)へ伸びるナイ・サラク、ガンジス河へ続くダシャーシュワメーダ・ロード(旧水路)といったバラナシの主要な通りが集まる街の基点となった。当時、バラナシの多くの民家はわら葺き、土壁であったが、ここゴードリヤーにはレンガづくりの家が立っていた(ゴードリヤーは、バラナシの政治、経済、文化の中心地であり、この街でもっとも地価の高い場所でもある)。入り組んだ路地が続くバラナシ旧市街では、リキシャやクルマはゴードリヤーの交差点より先に進むことができない。またモンスーンのときには自然堤防上にある旧市街に対して、水浸しになることも多い。

★★★
ガンジス河 *Ganges*
ガート *Ghat*
ダシャーシュワメード・ガート *Dashashwamedh Ghat*

★★☆
ベンガリー・トラ *Bangali Tola*
ビシュワナート・ガリ *Vishwanath Gali*

★☆☆
ヴィシュワナート(バラナシの中心) *Vishwanath*
ゴードリヤー *Godowlia*
ダシャーシュワメーダ・ロード *Dasashwamedh Road*
アヒリヤ・バーイー・ガート *Ahilyabai Ghat*
ハーヴェリー *Haveli*
マンマンディル・ガート(ジャンタル・マンタル) *Manmandir Ghat*
チャウサート・ヨギニ寺院 *Chausath Yogini Mandir*
ヴィシュヴァナート寺院 *Vishwanath Mandir*

ダシャーシュワメーダ・ロード ★☆☆

Dasashwamedh Road ／ Ⓗ दशाश्वमेध रोड ／ Ⓤ دشاشومیدھ روڈ

ゴードリヤーからガンジス河岸辺のダシャーシュワメード・ガートに向かって伸びるダシャーシュワメーダ・ロード。19世紀に埋め立てられる以前は、自然堤防（台地）からの水が流れてくる水路だったところで、ガンジス河を前に南に曲がる通りが、当時の姿を残している（19世紀以降に池や湖沼が干拓された）。このダシャーシュワメーダ・ロードの北側が古代のバラナシにあたり、現在は生鮮食料品市場、衣料店をはじめとする多くの店舗が軒を連ねている。

バラナシの食べもの

バラナシでは、ジャガイモ、トマト、玉ねぎにスパイスを加えた「タマタール・チャート」をはじめとする軽食のチャートを出す店を見かける。また米にグリーンピースなどをまぜた「チョーダ・マタル」もバラナシでよく食べられている。食後にとる嗜好品パーンは、キンマの葉に石灰をぬり、そこにビンロウジの種子、砂糖、ココナッツ、チョウジ、カルダモン、ウイキョウ、カンゾウ、ニクズク、タバコなどを混ぜたもの。時間をかけて噛むと、ビンロウジの色素で唾液が赤くなる。

ダシャーシュワメード・ガート ★★★

Dashashwamedh Ghat ／ Ⓗ दशाश्वमेध घाट ／ Ⓤ دشاشومیدھ گھاٹ

バラナシでもっとも多くの人が集まるダシャーシュワメード・ガート。『リグ・ヴェーダ』に登場するディボダーサ王がこの地で、10頭の馬を使った祭祀を行なったという神話から「ダシャー（10）・シュワ（馬の）・メード（供犠）」という名前がついた。史実では、2世紀ごろ、バーラシヴァ王がここで馬の祭祀を行なったとも言われ、1748年にマラータ王国の第3代宰相バーラージ・バジラーオが今のガートをつくったのち、1774年にマラータ同盟インドールの女王アヒリヤ・バーイー・ホールカルによって整備された。竹の傘がならんでいて、祈りを唱えるバラモン僧、沐浴する人びと、ガートにたたずむ人、鐘の音やもの売りなどさまざまなものが一堂に介している。日が暮れたあとには、小太鼓や鐘、ほらがいの音とともにヒンドゥー教の祭祀プージャが行なわれる。ダシャーシュワメード・ガートはふたつの部分からなり、そのあいだにはプラヤーガ・ガートが位置する（ちょうどガンジス河とジャムナ河がプラヤーガラージ＝アラハバードで合流するような構造になっている）。またこのガートには、ガンガー女神の聖堂も立つ。

聖地となったダシャーシュワメード・ガート

昔むかし、ブラフマー神はディボダーサ王に試練を課し、シヴァ神やパールヴァティー女神は、王がそれに失敗してバラナシを去らなくてはならないだろうと考えた。ところがディボダーサ王は完璧に、馬の祭祀を行ない、それに感心したブラフマー神はここにブラメシュヴァラ・リンガを建てて聖地（ダシャーシュワメード・ガート）となった。またブラフマーがシヴァ神を迎えるために、ダシャーシュワメード・ガートをつくったという説もある。

アヒリヤ・バーイー・ガート★☆☆

Ahilyabai Ghat／Ⓗ अहिल्याबाई घाट　Ⓤ اہلیابائی گھاٹ

ダシャーシュワメード・ガートに隣接するアヒリヤ・バーイー・ガートは、1778年、インドールの女王アヒリヤ・バーイー（在位1766～96年）によって整備された。女王は同時代にバラナシのヴィシュヴァナート寺院、ダシャーシュワメード・ガートの修建も行なっている。この時代は、ムガル帝国が衰退し、ヒンドゥー文化が復興していく

ガンジス河畔では生と死が隣り合わす

人々の営みが見られるガート

ガートで出逢った人々、それぞれの想いを胸に秘める

網の目のように細い路地がめぐる旧市街

なかで、ヒンドゥー諸侯によってバラナシへの投資が進んだ。アヒリヤ・バーイー・ガートが建設された1778年、その背後にインドールの王族が暮らす豪勢な邸宅ハーヴェリーも建てられた。

ハーヴェリー ★☆☆

Haveli／ⓗ हवेली／ⓤ حویلی

王族や豪商の住んだ石づくり、もしくはレンガづくりで中庭をもつ邸宅をハーヴェリーと呼ぶ。3～4階建ての建築で、上層階(屋上)は開放的、オープンテラスになっているものが多い。バラナシではガートに面してガンジス河を眺望できるハーヴェリーがいくつも残っている。

マンマンディル・ガート(ジャンタル・マンタル) ★☆☆

Manmandir Ghat／ⓗ मान मंदिर घाट　ⓤ مان مندر گھاٹ

ジャイプルのマハラジャ、ジャイ・シン2世(1688～1743年)によるマンマンディル・ガート(ジャンタル・マンタル)。このガートには同じくジャイプルのサワイ・マンシン(1585～1605年)による美しい装飾窓の宮殿マンマンディルがあり、その上部には1737年建設の天文台ジャンタル・マンタルが位置する。円形や三角形などの石製の天文計測機器をもつジャンタル・マンタルは、星、惑星の運行、天体を観測し、暦をつくることに使われた。このバラナシのマンマンディル・ガートと同様にジャイ・シン2世はジャイプル、デリー、マトゥラー、ウッジャインにもジャンタル・マンタルをつくっている。ダシャーシュワメード・ガートに隣接しており、ここからはガンジス河の流れも視界に入る。このマンマンディル・ガートでは、ラジャスタン州ジャイプルの人たちが沐浴を行なう。

チャウサート・ヨギニ寺院 ★☆☆

Chausath Yogini Mandir／㋪चौसठ योगिनी मंदिर／㋒چوسٹھ یوگنی مندر

チャウサート・ヨギニ・ガートに立ち、ヨギニ（ヨガをする女神）のためのチャウサート・ヨギニ寺院。チャウサートとは「64」を意味し、64のヨガをする女性（カーリー女神）の像がまつられている。サンスクリット学者のムドゥスダル・サラスヴァティー（1540〜1623年）によって名づけられた。

ベンガリー・トラ ★★☆

Bangali Tola／㋪बंगाली टोला／㋒بنگالی ٹولہ

ガンジス河（ガート）からなかに入ったところ、ガンジス河と並行して細い路地が続くベンガリー・トラ。ここベンガリー・トラでは隙間のないほどに建物が連なり、肩がぶつかりそうなほどの細い通りを牛や動物、人が往来する。またガートへも近く、ホテルやレストランが集まっていて、旅行者も多く訪れる。聖地バラナシにはたえずインド各地からやってくる移民の姿が見られ、ベンガリー・トラという名前は「ベンガル人の通り」という意味をもつ。かつてこのあたりにベンガル人が暮らしていたためで、バラナシでは使用言語や宗教を同じくする自治組織が残る（ベンガル人の最初の移住者は、1757年のラニ・バーバニだと言われるが、現在ではベンガル人はドゥルガー寺院の近くなど、都市の外縁部に暮らしている）。ちょうどビシュワナート寺院へ続く門前町のビシュワナート・ガリと対称的に南へ伸びている。

BRIJRAMA
PALACE

बृजरमा

Manikarnika Ghat

マニカルニカーガート鑑賞案内

ガンジス河の岸辺ガート
ここで遺体が焼かれ骨まで砕かれる
ガンジス河に流された遺灰は天界へゆくのだという

ビシュワナート・ガリ ★★☆

Vishwanath Gali／㋪विश्वनाथ गली／㋒وشوناتھ گلی

シヴァ神をまつるバラナシ屈指の聖域に続く門前町ビシュワナート・ガリ（ビシュワナート小路）。1780年、インドールの女王アヒリヤ・バーイーがヴィシュヴァナート寺院を再建したときに整備され、300mほど続く細い路地の両脇には店がひしめきあっている。神々の絵、花輪や数珠、線香などシヴァ神に捧げるためのもの、宗教用具、宗教書、サリーや宝石、菩提樹の実でつくったアクセサリーなどの装身具、真ちゅうの工芸品、おもちゃ、人形、土産物、お菓子、肉や野菜などが軒先には見える。

バラナシのバザールで目にするもの

宗教都市バラナシは、絹製品などの手工業が発達した街という顔もあわせもつ。金や銀の糸を縫いこむなど趣向がこらされたサリー（インド女性がまとう）、ガンジス河の水（ガンガージャル）をいれるための真ちゅうの瓶や壺、その他の細工品や木工品の品質の高さも知られ、手作業でつくられた後、インド中に運ばれていく。またシタールやタブラのような楽器の製作でも有名で、バラナシは「音楽の都」としても知られる。

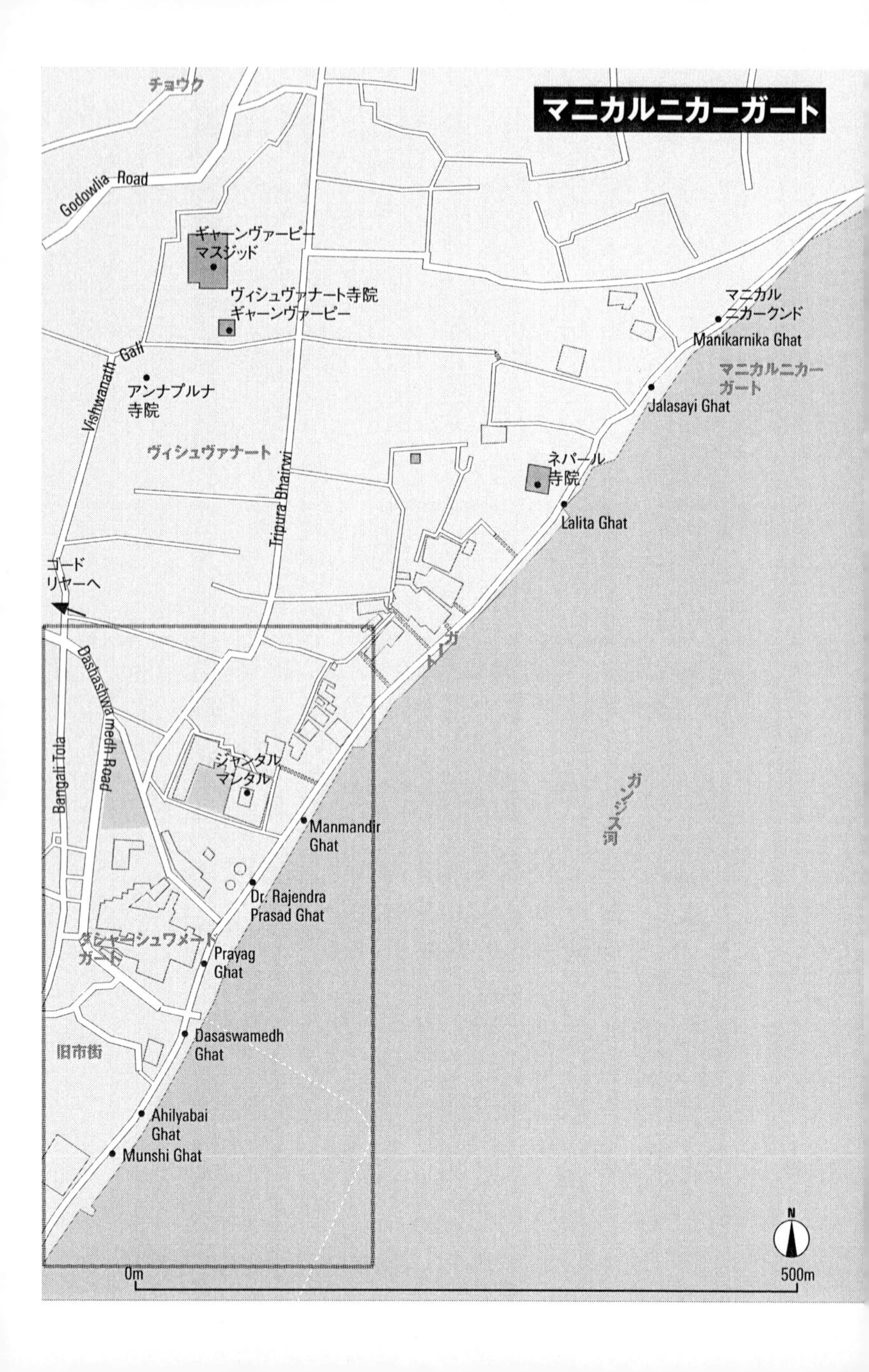
マニカルニカーガート
チョウク
Godowlia Road
ギャーンヴァーピー
マスジッド
ヴィシュヴァナート寺院
ギャーンヴァーピー
Vishwanath Gali
アンナプルナ
寺院
ヴィシュヴァナート
Tripura Bhairwi
ゴードリヤーへ
マニカル
ニカークンド
Manikarnika Ghat
マニカルニカー
ガート
Jalasayi Ghat
ネパール
寺院
Lalita Ghat
Dashashwamedh Road
Bangali Tola
ジャンタル
マンタル
Manmandir
Ghat
Dr. Rajendra
Prasad Ghat
ダシャーシュワメード
ガート
Prayag
Ghat
Dasaswamedh
Ghat
旧市街
Ahilyabai
Ghat
Munshi Ghat
ガンジス河
0m
500m
N

ヴィシュヴァナート寺院 ★☆☆

Vishwanath Mandir　Ⓗ विश्वनाथ मंदिर／Ⓤ وشوناتھ مندر

「世界の主宰神」を意味し、シヴァ神そのものと考えられるリンガがまつられたヴィシュヴァナート寺院。この寺院の創建は5世紀にさかのぼり、シヴァ神が地上にはじめて姿を現した場所に建てられたという。たび重なる破壊をこうむり、その都度再建されてきたが、現在のものは1780年、インドール(マディヤ・プラデーシュ州)の女王アヒリヤ・バーイーによって再建された。その後、1839年、パンジャーブの王ランジート・シング(シク教徒)の寄進で、800kgもの純金箔で尖塔がふかれたことから、「ゴールデン・テンプル」の異名をとる。バラナシの信仰の中心地で、生命力の象徴と見られる男性器リンガの頂部に水を注ぎ、リンガをなでさすった手を自らの頭にやることでご利益を受けることができるという。異教徒は入ることができない。

★★★

ガンジス河 *Ganges*
ガート *Ghat*
ダシャーシュワメード・ガート *Dashashwamedh Ghat*
マニカルニカー・ガート *Manikarnika Ghat*

★★☆

ベンガリー・トラ *Bangali Tola*
ビシュワナート・ガリ *Vishwanath Gali*

★☆☆

ヴィシュワナート(バラナシの中心) *Vishwanath*
ダシャーシュワメーダ・ロード *Dasashwamedh Road*
アヒリヤ・バーイー・ガート *Ahilyabai Ghat*
マンマンディル・ガート(ジャンタル・マンタル) *Manmandir Ghat*
ヴィシュヴァナート寺院 *Vishwanath Mandir*
ギャーンヴァーピー(智慧の泉) *Gyanvapi*
アンナプルナ寺院 *Annapuruna Mandir*
ギャーンヴァーピー・マスジッド *Gyanvapi Masjid*
マニカルニカー・クンド *Manikarnika Kund*
ネパール寺院(ラリタ・ガート) *Nepali Mandir*
チョウク *Chowk*

破壊と、再生と

リンガが安置されたこの寺院の創建は5世紀にさかのぼり、イスラム勢力の侵入を受ける12世紀まではヴィシュヴェーシュヴァラ寺院と呼ばれていた。1194年、中央アジアからインドへ進入したイスラム勢力ゴール朝によって破壊され、その後、デリー・サルタナット朝、ムガル帝国といったイスラム王朝時代に6度破壊され、そのたびに再建されてきた（両宗教の融和を目指したムガル帝国第3代アクバル帝治下では、ヴィシュヴェーシュヴァラ寺院が再建されたが、第6代アウラングゼーブ帝の時代に再び破壊された）。異教徒の破壊をこうむると居場所を求めて、リンガはバラナシの街をさまよったと伝えられている。

ギャーンヴァーピー（智慧の泉）★☆☆

Gyanvapi　ⓗज्ञानवापी　ⓤحکمت کا چشمہ

ヴィシュヴァナート寺院に隣接する直径3mほどの井戸ギャーンヴァーピー。ここはバラナシにめぐらされた巡礼路の出発地となっていて、口をすすいで身を浄め、誓願をかける人びとの姿がある。

アンナプルナ寺院 ★☆☆

Annapuruna Mandir　ⓗअन्नपूर्णा मंदिर／ⓤاناپورنا مندر

ヴィシュヴァナート寺院そばに立つパールヴァティー女神をまつったアンナプルナ寺院。アンナプルナはサンスクリット語で「豊穣の女神」を意味し、人びとに恵みをあたえるという（シヴァ神の妃であり、ドゥルガー女神、カーリー女神とも同一視される。ネパールでは山名にもなっている）。18世紀に、プネーのラージャによって建てられ、食事の女神アンナプルナに米や穀物を捧げる巡礼者の姿がある。

ゴードリヤーの交差点からガートへ

ギャーンヴァーピー・マスジッド ★☆☆

Gyanvapi Masjid／Ⓗ ज्ञानवापी मस्जिद Ⓤ گیان واپی مسجد

白色の壁面、ドーム、ミナレットが印象的なイスラム教のギャーンヴァーピー・マスジッド。アウラングゼーブ帝時代の1669年に、現在のヴィシュワナータ寺院にあたるヴィシュヴェーシュヴァラ寺院を破壊し、その石材をもちいて建てられた（ヒンドゥー寺院は、イスラム勢力に幾度となく破壊された）。隣接してヴィシュヴァナート寺院が再建されたため、両寺院には境界壁がある。

マニカルニカー・ガート ★★★

Manikarnika Ghat Ⓗ मणिकर्णिका घाट Ⓤ منیکرنیکا گھاٹ

「街が火葬場のためにある」と言われるバラナシにあって、その中心に位置し、インド最高の格式をもつマニカルニカー・ガート。このガートは、18世紀にインドールの女王アヒリヤ・バーイーによって建設され、ここでは死体を焼くための火が24時間絶えることなく、死体を焼く匂いがたちこめている。インド中から運ばれてきた遺体は、2〜3時間かけて焼かれたあと、竹の棒で頭蓋骨や骨が砕かれ、その遺灰はガンジス河に流される。一方、葬儀のためのお金がなかったり、赤ん坊や妊婦、ヘビに噛まれて死んだ人などは荼毘にふされることなく、そのままの状態で流されていく（充分に生きていないなどの理由から）。マニカルニカー女神がこのガートを守護し、マニカルニカー・クンド、ヴィシュヌ神の足跡も見られる。

焼かれていく遺体

2本の棒に遺体をしばってガートへ向かう葬送の列。布（男性は白、女性は赤といった）でくるまれた遺体は、ガンジス河の水にひたされたあと、くみあげられた薪のうえにおかれる。白装束で身をつつんだ喪主は、身を浄めてから遺体の周囲をまわり、最初の火がつけられる。遺体を焼くには50kg程度の薪が必要とされ、ここバラナシには年間1000tもの薪が運ばれてくるという。

24時間燃え続ける炎

インドでは古代から火は聖なるものだと考えられ、バラモン教では火の神アグニが信仰され、一方、インドと同じアーリア人が進出したイランでは火を神の象徴とみる拝火教（ゾロアスター教）が信仰されていた。マニカルニカー・ガートで使われる「聖なる炎」の種火は、古代の伝説の王ハリシュチャンドラから受けたものと言われ、数千年のあいだ24時間絶えることなく燃えているという。

マニカルニカー・クンド ★☆☆

Manikarnika Kund　Ⓗमणिकर्णिका कुंड　Ⓤمنیکرنکا کنڈ

マニカルニカー・ガートにある小さな池マニカルニカー・クンド。神話によると、苦行していたヴィシュヌ神のもとにシヴァ神が現れ、「願いごとを叶えよう」と尋ねると、ヴィシュヌ神は「シヴァ神のいるバラナシで永遠に暮らしたい」と答えた。その言葉を聴いたシヴァ神は喜び、身につけていた「マニカルニカー（宝石の耳飾り）」が「クンド（池）」に落ちた。以来、ここはマニカルニカー・クンドと呼ばれるようになったという（ガンジス河が地上に降下する以前からあるとされる）。ヴィシュヌ神が苦行していた場所には、その足あとが刻まれたという石が見られる。

ネパール寺院（ラリタ・ガート） ★☆☆

Nepali Mandir／Ⓗनेपाली मंदिर　Ⓤنیپالی مندر

マニカルニカー・ガートのそばのラリタ・ガートに立つネパール寺院。ネパールで見られる切妻屋根、二層の木造様式の寺院は、パシュパティナート（カトマンズ）のものを模して1843年に建てられた。祖国ネパールを追われて、バラナシに逃れたラナ・バハドゥール・シャーによる。シヴァ神の化身であるパシュパテシュヴァラ神がまつられている。

Kahan Ni Ikiru

ガンジス河畔に生きる

沐浴する人、死へ向かう人
世を捨て信仰に生きる人
ガンジス河の岸辺では生と死が交錯した世界が広がる

朝日に沐浴する人

ヒンドゥー教では「浄」「不浄」の概念が発達していて、ガンジス河で沐浴すると「あらゆる罪が洗い流される」と信じられている。河の水を両手で自らの身体に注ぐだけでなく、自らの鼻をつまんで河にもぐったり、口にふくんでうがいをする人も見られる。とくにバラナシにもともとあった太陽信仰とあいまって、ガンジス河の対岸からのぼる朝日を受けながら沐浴する人が多く、「日が地平線に昇る瞬間、その神聖は極まる」と三島由紀夫は述べている（『暁の寺（豊穣の海）』）。

求道するサンニャーシン

サンニャーシンと呼ばれるヒンドゥー教の行者たちは、それまでの職業を捨て、家族とわかれて求道の旅を続けている。人生の真理を求めて出家した彼らは、「すべてを捨てた人」と呼ばれ、ヒンドゥー教徒から食事などのほどこしを受ける。黄色い袈裟に身をまとい、額に赤の印をつけ、マントラを唱える姿がガートなどで見られる。インドではこのような真理を求めて出家した人びとは尊敬のまなざしを受けていて、サンニャーシンのなかでも徳の高い人は、サドゥーと呼ばれている。

生活を営む人びと

ガンジス河畔では、この河の水を使って生活を営む人びとの姿も見られる。泳ぐ人、トイレやシャワー用として水を汲みあげる人、ガンジス河で洗った着物をたたきつけてから岸辺に干す人、ボート乗りもいる。ガンジス河の水は「聖性が宿る」と考えられているため、その水(ガンガージャル)を瓶につめてもちかえる人も多い。ヒンドゥー教では、動物も人間と同じように扱われ、無駄な殺生が戒められていることから、旧市街、ガートなど、いたるところで牛、ロバや犬などの動物を見ることができる。

各地から集まる巡礼者

バラナシ旧市街にはインド各地から集まってくる巡礼者のために、タミル宿、ムンバイ宿、ベンガル宿、パンジャーブ宿など各地方出身者のための巡礼宿が用意されている。お金がない人のなかには、数ヵ月の月日をかけて喜捨を受けながら歩いて巡礼に訪れる人もいるという。またバラナシで最期のときを迎えれば、「魂は天界へ召される」と信じられ、死を迎える人びとが最期のときを過ごすムクティ・バワン(解脱の館)、シャーンティ・バワン(平和の館)などの施設がある。そこではヒンドゥー教の経典が読まれ、静かに最期のときを迎える人びとが過ごしている。

साधना औषधालय
SADHANA AUSADHALAY

Southern Ghats

ガート南部鑑賞案内

もうひとつの火葬場ハリシュチャンドラ・ガート
赤と白の縞模様のケダル・ガート
ガンジス河岸辺に生きる人びとの営み

ケダレシュヴァラ ★☆☆

Kedareshvara ㋪ केदारेश्वर／㋒ کیدرشور

バラナシには、シヴァ神の三叉の戟の刃先と重ねて見られる、3つの代表的な聖域がある。北の中心「オームカレシュヴァラ」、ヴィシュワナート寺院の位置する「ヴィシュワナート（中央）」、そしてここ南の中心の「ケダレシュヴァラ」（それぞれが一段高い台地上に立つ）。当初、バラナシの中心は、北側にあったが、12世紀のイスラム教徒による占領で、ヒンドゥー教徒は南側に移住し、ケダレシュヴァラは3つの聖域のなかではもっとも遅く発展した。モスクが多く分布する北西の「オームカレシュヴァラ」に対して、古くは都市の周縁部であったケダレシュヴァラには、南インドからの移住者も多く、南インドから多くの巡礼者が訪れる。

ケダル・ガート ★★☆

Kedar Ghat ㋪ केदार घाट／㋒ کیدار گھاٹ

隣接するヴィジャヤナガラム・ガートとともに、赤と白の横じま模様で彩られた階段をもつケダル・ガート。上部の寺院は階段と違って縦じま模様で、ヒマラヤ山中にあるケダルナート寺院からうつされたシヴァ神がまつられている。ヴィジャヤナガルの王の寄進で建てられたもの

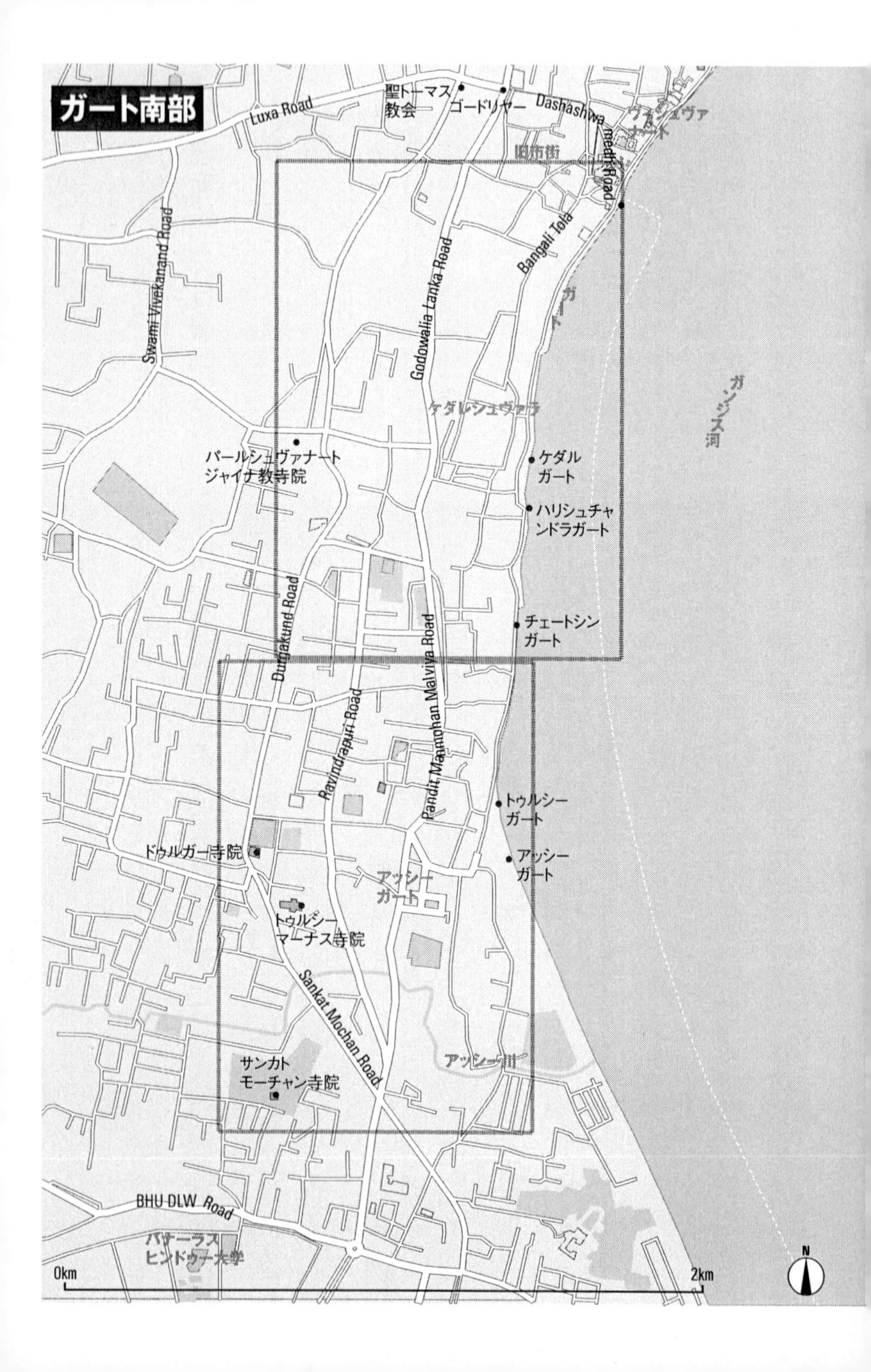

ガート南部
Luxa Road
聖トーマス
教会
ゴードリヤー
Dashashwa
medh Road
旧市街
Bangali Tola
Swami Vivekanand Road
Godowalia Lanka Road
ケダレシュヴァラ
ガンジス河
パールシュヴァナート
ジャイナ教寺院
ケダル
ガート
ハリシュチャ
ンドラガート
Durgakund Road
チェートシン
ガート
Ravindrapuri Road
Pandit Madmohan Malviya Road
トゥルシー
ガート
アッシー
ガート
ドゥルガー寺院
アッシー
ガート
トゥルシー
マーナス寺院
Sankat Mochan Road
アッシー川
サンカト
モーチャン寺院
BHU DLW Road
バナーラス
ヒンドゥー大学
0km
2km
N

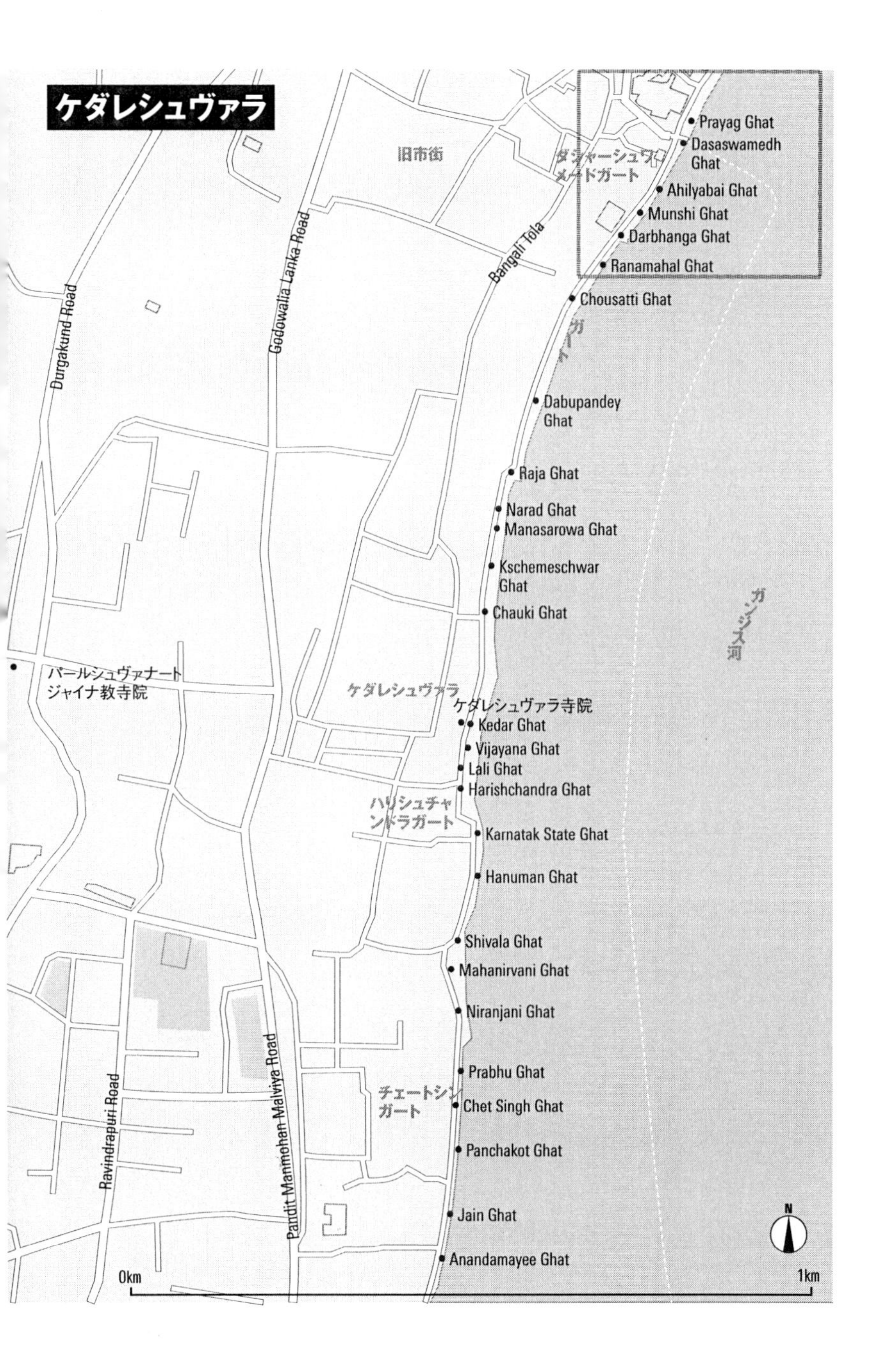
ケダレシュヴァラ
旧市街
ダシャーシュワメードガート
Prayag Ghat
Dasaswamedh Ghat
Ahilyabai Ghat
Munshi Ghat
Darbhanga Ghat
Ranamahal Ghat
Chousatti Ghat
Bangali Tola
Godowalia Lanka Road
Durgakund Road
Dabupandey Ghat
Raja Ghat
Narad Ghat
Manasarowa Ghat
Kschemeschwar Ghat
Chauki Ghat
ガンジス河
パールシュヴァナート
ジャイナ教寺院
ケダレシュヴァラ
ケダレシュヴァラ寺院
Kedar Ghat
Vijayana Ghat
Lali Ghat
Harishchandra Ghat
ハリシュチャンドラガート
Karnatak State Ghat
Hanuman Ghat
Shivala Ghat
Mahanirvani Ghat
Niranjani Ghat
Prabhu Ghat
チェートシンガート
Chet Singh Ghat
Panchakot Ghat
Ravindrapuri Road
Pandit Manmohan Malviya Road
Jain Ghat
Anandamayee Ghat
N
0km
1km

で南インドからの巡礼者が訪れる。

ケダレシュヴァラ寺院 ★☆☆

Kedareshvara Mandir ／ⓗ केदारेश्वर मंदिर／ⓤ کیدارشور مندر

シヴァ神のヒマラヤにある家を再現したケダレシュヴァラ寺院。三叉の戟のひとつと見られる石のリンガをまつり、このリンガは自然に形成されたという。南インド特有の極彩色の彫像がここケダレシュヴァラ寺院でも見られる。

インド中から集められた神々

バラナシにはインド各地から神々がうつされていて、ここで祈れば現地に行ったのと同じご利益があると信じ

★★★
ガンジス河 *Ganges*
ガート *Ghat*
ダシャーシュワメード・ガート *Dashashwamedh Ghat*

★★☆
ケダル・ガート *Kedar Ghat*
ベンガリー・トラ *Bangali Tola*

★☆☆
ケダレシュヴァラ *Kedareshvara*
ケダレシュヴァラ寺院 *Kedareshvara Mandir*
ハリシュチャンドラ・ガート *Harishchandra Ghat*
ハヌマン・ガート *Hanuman Ghat*
チェートシン・ガート *Chet Singh Ghat*
ジャイン・ガート *Jain Ghat*
パールシュヴァナート・ジャイナ教寺院 *Parshvanath Jain Mandir*
トゥルシー・ガート *Tulsi Ghat*
アッシー・ガート *Assi Ghat*
ドゥルガー寺院 *Durga Mandir*
トゥルシーマーナス寺院 *Tulsi Manas Mandir*
サンカト・モーチャン寺院 *Sankat Mochan Mandir*
バナーラス・ヒンドゥー大学 *Banaras Hindu University*
ヴィシュワナート（バラナシの中心） *Vishwanath*
ゴードリヤー *Godowlia*
ダシャーシュワメーダ・ロード *Dasashwamedh Road*
アヒリヤ・バーイー・ガート *Ahilyabai Ghat*
聖トーマス教会 *St.Thomas Church*

られている。インド西端の聖地ソームナートにまつられたソーメーシュヴァラ、インド北部ヒマラヤ山中の聖地ケダルナートにまつられたケダレシュヴァラ、南インドのラーメシュヴァラムにまつられたラーメーシュヴァラなどがそれにあたる。

ハリシュチャンドラ・ガート ★☆☆

Harishchandra Ghat/㋪हरिश्चंद्र घाट/㋒ہریش چندر گھاٹ

マニカルニカー・ガートにつぐバラナシ第2の火葬場のハリシュチャンドラ・ガート。ケダル・ガートの南に位置し、規模も小さいが、遺体が運びこまれ、ここで焼かれていく。ハリシュチャンドラ・ガートという名前は、火葬のための聖なる炎をあたえたという伝説上の王ハリシュチャンドラに由来する。ハリシュチャンドラ王はラーマの祖先で、神の試練を受けて国を失い、火葬場の職人となったが、約束を守ったため、すべてをとり戻すことができたという。

ハヌマン・ガート ★☆☆

Hanuman Ghat ㋪हनुमान घाट ㋒ہنومان گھاٹ

ハリシュチャンドラ・ガートの南に隣接するハヌマン・ガート。ラーマを助けた猿神ハヌマンの名前がつけられ、ハヌマン・リンガが立つ。ここは中世の哲学者バッラバ(1473～1531年)の出生地でもある(バラナシに暮らす父が、イスラム教徒の侵入から逃れようとしたとき、生まれたという)。

チェートシン・ガート ★☆☆

Chet Singh Ghat/㋪चेत सिंघ घाट/㋒چیت سنگھ گھاٹ

堂々とした威容をもつチェートシン宮殿が立ち、バラナシのガートでも屈指の美しさを見せるチェートシン・ガート。チェートシンはバラナシ藩王国を築いたバルワント・シンの子で、バラナシの領主(ザミンダール)として18

世紀後半に生きた。チェートシンをその職に任命したのはイギリスであったが、チェートシンはイギリスの方針に反旗をひるがえした（インドへの野心を見せるイギリスに対して反乱を起こした）。ガートの後方に立つ赤砂岩の宮殿（砦）にこもったチェートシンは、1781年にウォーレン・ヘイスティングスの兵に包囲され、激戦が交わされた。やがて地位を奪われたチェートシンは、グワリオールに隠居し、1810年になくなった。

ジャイン・ガート ★☆☆

Jain Ghat／Ⓗ जैन घाट　Ⓤ جین گھاٹ

2500年以上の伝統をもつインド固有のジャイナ教ゆかりのジャイン・ガート。マハーヴィラ以前に23人いるジャイナ教祖師ティールタンカラのうち、第7代スパールシュバ、第8代チャンドラプラバ、第11代シュレーヤーンシャ、第23代パールシュヴァナータの4人がバラナシ（またその近郊）で生まれたという。こうしたところから、バラナシはジャイナ教の聖地でもある。ジャイナ教徒がこのガートには集まり、あたりにはジャイナ教徒が暮らしている。

パールシュヴァナート・ジャイナ教寺院 ★☆☆

Parshvanath Jain Mandir　Ⓗ पार्श्वनाथ जैन मंदिर／Ⓤ پارشوناتھ جین مندر

ジャイナ教ティールタンカラの22代目までは歴史上の人物と考えられていないのに対して、第23代のパールシュヴァナータは実在の人物だとされ、バラナシのベルプールで生まれた。パールシュヴァナータは紀元前8世紀に六大自由思想家の一角として、ニガンタ派を率いていたとされ、「殺さない、盗みをしない、嘘をつかない、所有しない」の4つの戒律を唱えた。24代祖師でニガンタ派に属したマハーヴィラがこの教えに改良を加えたことか

カラフルなケダル・ガート

ガンジス河に面して寺院が建ちならぶ

ガンジス河の対岸には何もない

ガートで遊ぶ子どもたち

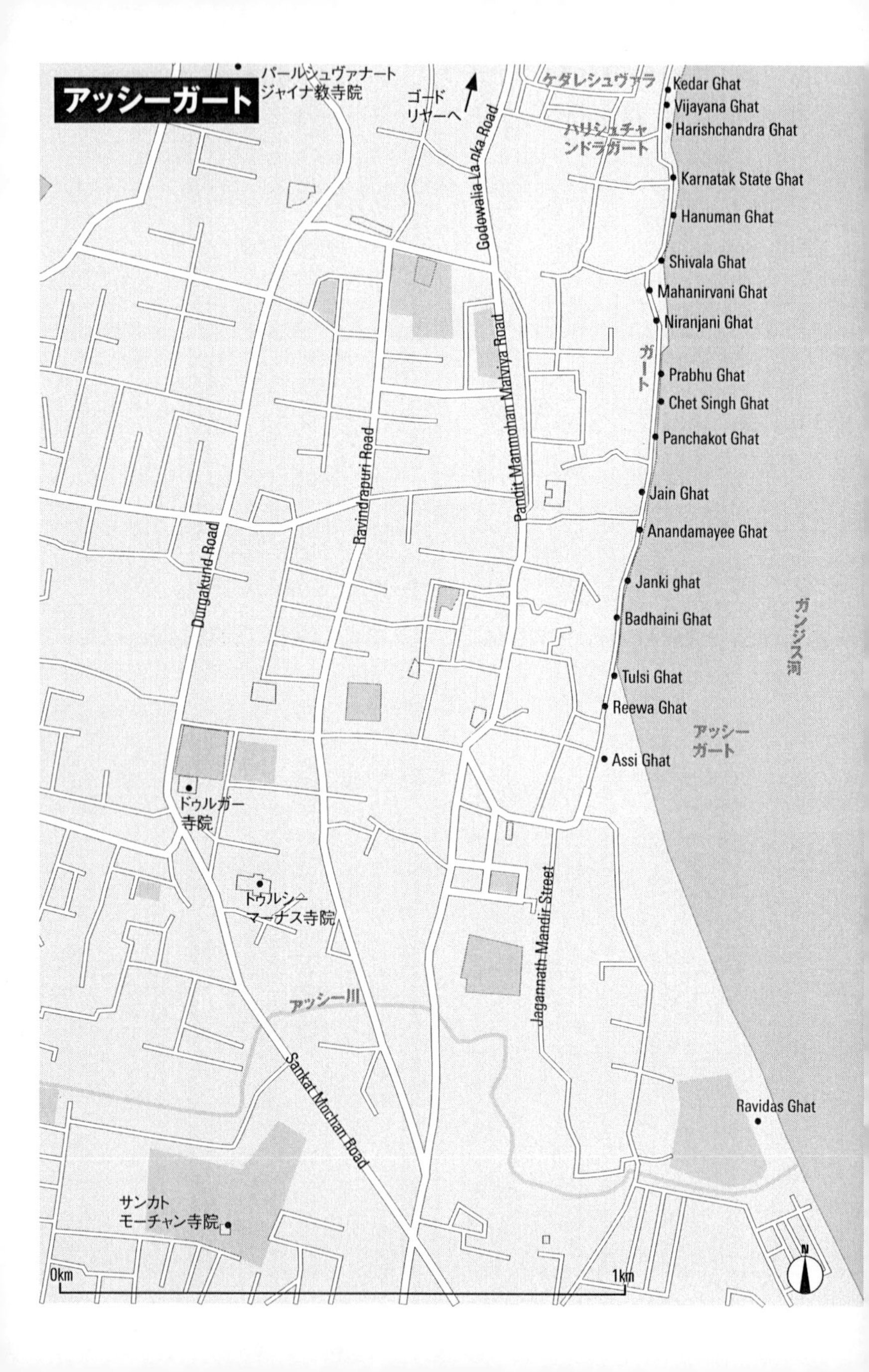
アッシーガート
パールシュヴァナート
ジャイナ教寺院
ゴード
リヤーへ
ケダレシュヴァラ
ハリシュチャンドラガート
Kedar Ghat
Vijayana Ghat
Harishchandra Ghat
Karnatak State Ghat
Hanuman Ghat
Shivala Ghat
Mahanirvani Ghat
Niranjani Ghat
ガート
Prabhu Ghat
Chet Singh Ghat
Panchakot Ghat
Jain Ghat
Anandamayee Ghat
Janki ghat
Badhaini Ghat
Tulsi Ghat
Reewa Ghat
Assi Ghat
ガンジス河
アッシーガート
Godowalia Lanka Road
Pandit Manmohan Malviya Road
Ravindrapuri Road
Durgakund Road
ドゥルガー
寺院
トゥルシー
マーナス寺院
Jagannath Mandir Street
アッシー川
Sankat Mochan Road
Ravidas Ghat
サンカト
モーチャン寺院
0km
1km
N

ら、パールシュヴァナータが実質的なジャイナ教の開祖とも見られる。パールシュヴァナート・ジャイナ教寺院は、このパールシュヴァナータが生まれたバラナシのベルプールに立つ。山がイメージされたシカラが連なる。

トゥルシー・ガート ★☆☆

Tulsi Ghat　Ⓗतुलसी घाट　Ⓤتلسی گھاٹ

詩人トゥルシーダース（16〜17世紀）がこのあたりで詩を詠み、晩年を過ごしたことから名づけられたトゥルシー・ガート。古代インドの叙事詩『ラーマーヤナ』は、トゥルシーダースが『ラーム・チャリト・マーナス』としてやさしい言葉で書きなおしたことで、民衆に読まれるようになった。そして北インドでは理想的な性格をもつラーマ（ヴィシュヌ神の化身と見られる）の信仰が広まったという。またかつてトゥルシー・ガートは、ローラールカ・ガートと呼ばれていた。近くには井戸のローラールカ・クンド（震える太陽神の池）やアルカ（太陽）ヴィナーヤカ神の祠も残っていて、太陽信仰の中心地だった。

★★★
ガンジス河 *Ganges*
ガート *Ghat*

★★☆
ケダル・ガート *Kedar Ghat*

★☆☆
ケダレシュヴァラ *Kedareshvara*
ハリシュチャンドラ・ガート *Harishchandra Ghat*
ハヌマン・ガート *Hanuman Ghat*
チェートシン・ガート *Chet Singh Ghat*
ジャイン・ガート *Jain Ghat*
パールシュヴァナート・ジャイナ教寺院 *Parshvanath Jain Mandir*
トゥルシー・ガート *Tulsi Ghat*
アッシー・ガート *Assi Ghat*
ドゥルガー寺院 *Durga Mandir*
トゥルシーマーナス寺院 *Tulsi Manas Mandir*
サンカト・モーチャン寺院 *Sankat Mochan Mandir*

アッシー・ガート ★☆☆

Assi Ghat/㊉अस्सी घाट ㋒اسی گھاٹ

アッシー川がガンジス河にそそぐ場所にあり、ガートのなかで最南端に位置する(バラナシ旧市街の最南端)。このあたりはバラナシでも古い伝統をもつ聖域と考えられ、8～12世紀の太陽神の神像が見つかっている。その後、シヴァ信仰が優勢になったため、名前もサンスクリット語で「剣」を意味するアッシー・ガートと変わった。聖地バラナシに入ろうとする悪をアッシー(剣)が防ぐのだという。ピーパル樹のもとにリンガが立つほか、近くにはドゥルガー寺院やトゥルシーマーナス寺院も位置する。

太陽神スーリヤからシヴァ神へ

シヴァ神の天空の城は、太陽や月よりも輝いていて、それをねたんだ太陽神スーリヤは、シヴァ神のいないうちにその城を滅ぼすことにした。城を破壊されたシヴァ神は怒り、第3の目から光線を放ってスーリヤ神を倒してしまった。バラナシに落ちたスーリヤ神は、ここで沐浴していると浄められ、その罪を許されたのだという。もともとスーリヤ神への信仰は古い伝統をもつが、この神話はヒンドゥー教の興隆とともにシヴァ神の力が増したことを物語っている(ヒンドゥー教はバラモン教と土着の信仰があわさって徐々に形成された)。

ドゥルガー寺院 ★☆☆

Durga Mandir ㊉दुर्गा मंदिर/㋒درگا مندر

凶暴な性格、強い生殖力、生命力をもち、血を好む恐ろしいドゥルガー女神に捧げられた寺院。ドゥルガー女神は虎に乗り、三叉の戟、円盤、剣などの武器をもち、その性格をあらわすように中央のシカラ、本体、壁面ともに真っ赤にぬられている。ドゥルガー女神はもともと生命を育

ガート南部に位置するアッスィー・ガート

沐浴する人、身体を洗う人

沐浴して身を清める男性

バラナシでは動物も人と同様に闊歩する

む大地母神としてベンガル地方で信仰されていたが、シヴァ信仰が成長するなかで、シヴァ神の配偶神(妻)とみなされるようになった(シヴァ信仰がドゥルガー信仰をとりこんだ)。このドゥルガー寺院は、18世紀にベンガルの女王(マハラニ)の寄進によって建てられたもので、境内のクンド(沐浴池)はかつてガンジス河につながっていた。バラナシはベンガル以外でもっともベンガル人が多いところで、あたりにはベンガル人コミュニティも位置する。境内に野生の猿が多いところから、モンキー・テンプルの名で親しまれている。

トゥルシーマーナス寺院 ★☆☆

Tulsi Manas Mandir/㋪तुलसी मानस मंदिर/㋒تلسی مانس مندر

古代インドの叙事詩『ラーマーヤナ』の主人公ラーマ王子とシーター姫が本尊にまつられたトゥルシーマーナス寺院。寺院名は『ラーマーヤナ』をかんたんな言葉で書きなおした詩人トゥルシーダースに由来する。トゥルシーダース(16〜17世紀)はイスラム勢力の統治下にあるバラナシに生き、人びとはトゥルシーダースの言葉『ラーム・チャリト・マーナス』を通して『ラーマーヤナ』の物語を知った。この寺院は1964年、バラナシの富豪の寄進で建てられ、近くにはトゥルシーダースが詩を詠んでいたというガート(トゥルシー・ガート)がある。

サンカト・モーチャン寺院 ★☆☆

Sankat Mochan Mandir/㋪संकट मोचन हनुमान मंदिर
㋒سنکٹ موچن ہنومان مندر

『ラーマーヤナ』で英雄ラーマを助ける猿神ハヌマンがまつられたサンカト・モーチャン寺院。サンカト・モーチャンとは「トラブルからの解放者」という意味で、このあたりでトゥルシーダースは『ラーム・チャリト・マーナス』(わかりやすい言葉の『ラーマーヤナ』)を書いた。創建はトゥルシーダース(16〜17世紀)がハヌマン神の幻影を見たときにさかのぼるとも言われ、ハヌマン神がラーマに向かい合う構図が見られる。トゥルシーダース寺院、トゥルシー・ガート、ハヌマン・ガートにも近い。

विजयानगरम् घाट
VIJAYA NAGARAM GHAT
केदार घाट

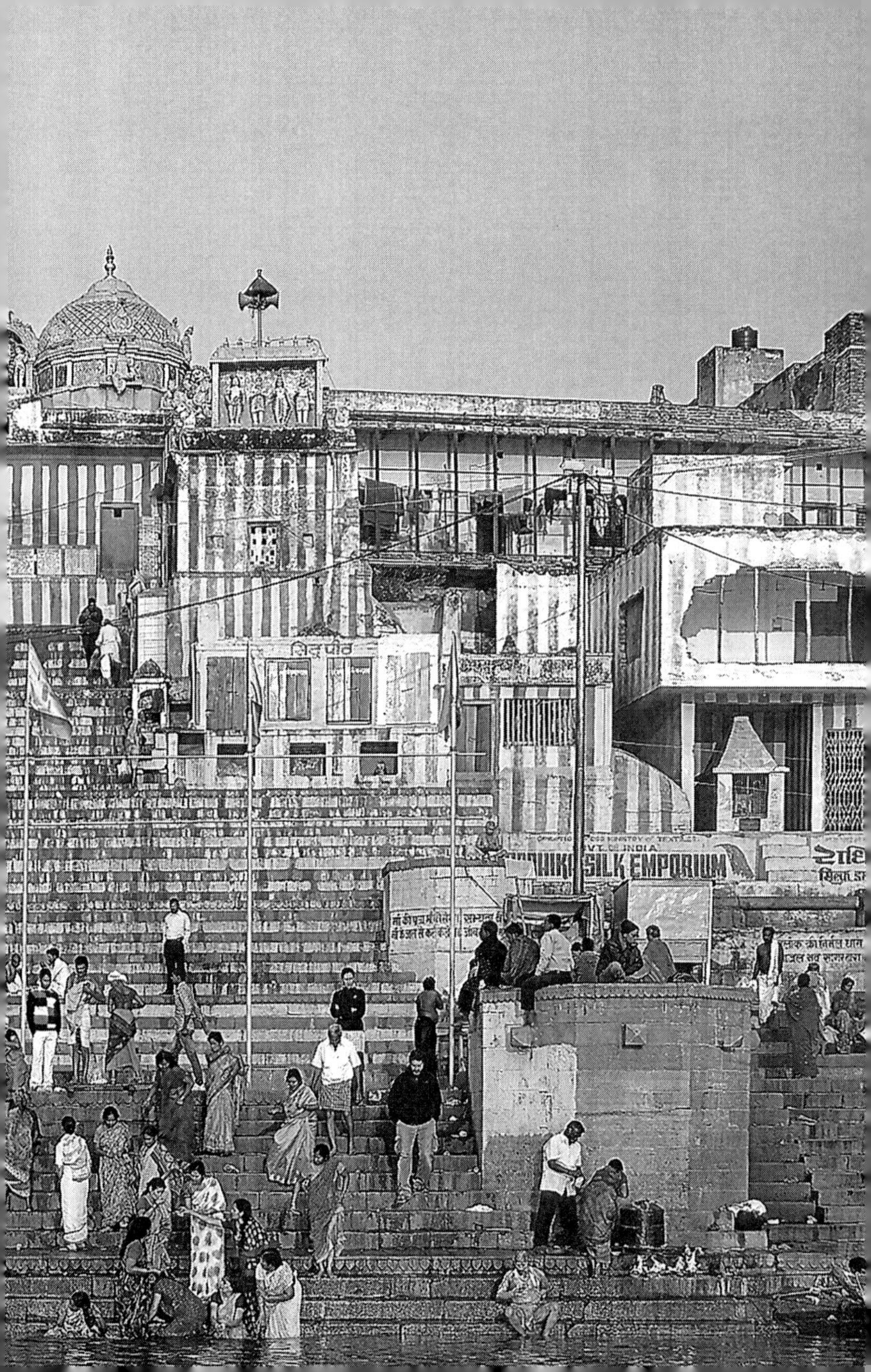
SILK EMPORIUM

Northern Ghats

ガート北部鑑賞案内

パンチガンガー・ガートをのぼったところには
アウラングゼーブ帝によるモスクが立つ
ヒンドゥーとイスラムの交わり

オームカレシュヴァラ ★☆☆

Omkareshwar／ⓗ ओंकारेश्वर ⓤ اومکیشور

バラナシにある3つの聖域（中心）のうち、北側の核にあたるオームカレシュヴァラ。このあたりは古代カーシー国以来のバラナシの中心地で、1194年のイスラム勢力アイバクがこの地にあったオームカレシュヴァラ寺院を占領した。イスラム教徒は、当時の都市の中心であったバラナシ北部一帯に暮らしたため、現在でもこのあたりにはモスクが集中している（ほとんどのヒンドゥー寺院が破壊され、ヒンドゥー教徒は南に遷った）。パンチガンガー・ガート、ビンドゥ・マーダヴァ寺院、アラムギル・マスジッドなど、ヒンドゥー教徒とイスラム教徒双方にとって重要な聖地が併存する。

パンチガンガー・ガート ★★☆

Panchganga Ghat ⓗ पंचगंगा घाट／ⓤ پانچ گنگا گھاٹ

パンチガンガーとは「5つのガンジス河」のことで、ガンジス河、ジャムナ河にくわえて、幻の大河であるサラスヴァティー河、ドゥーパパパー河、キナーラー河の5つの河が合流する聖地だと考えられている。ディボーダサ王を追い出したヴィシュヌ神は、この地に魅せられ、ある日、アグニ・ビンドゥという苦行者に出会った。ヴィシュ

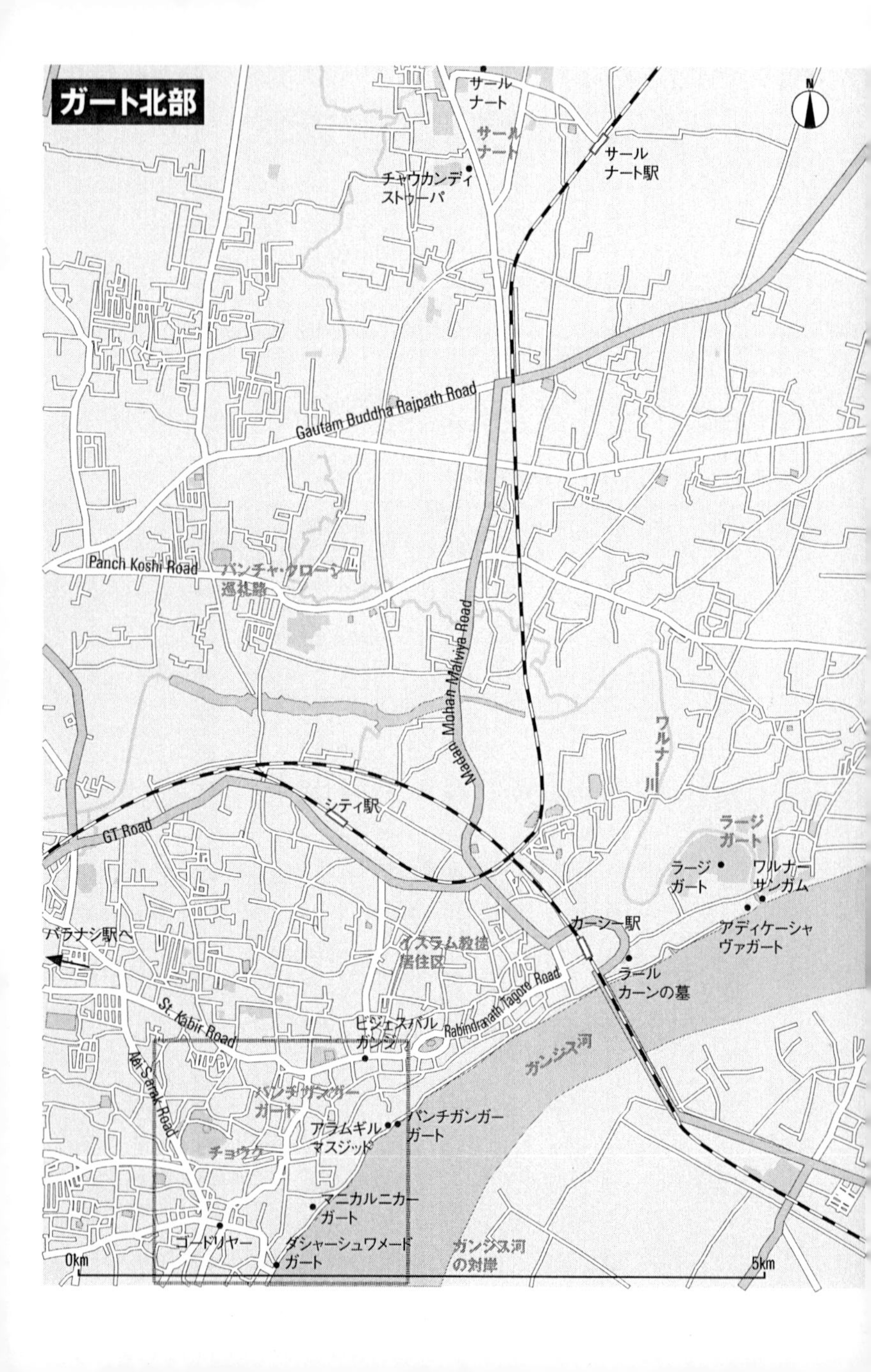
ガート北部
サール
ナート
サール
ナート
サール
ナート駅
チャウカンディ
ストゥーパ
Gautam Buddha Rajpath Road
Panch Koshi Road
パンチャ・クローシー
巡礼路
Madan Mohan Malviya Road
ワルナー川
シティ駅
GT Road
ラージ
ガート
ラージ
ガート
ワルナー
サンガム
アディケーシャ
ヴァガート
カーシー駅
バラナシ駅へ
イスラム教徒
居住区
ラール
カーン の墓
St. Kabir Road
Rabindranath Tagore Road
ビシェスバル
ガンジ
ガンジス河
Nai Sarak Road
パンチガンガー
ガート
パンチガンガー
ガート
アラムギル
マスジッド
チョウク
マニカルニカー
ガート
ゴードリヤー
ダシャーシュワメード
ガート
ガンジス河
の対岸
0km
5km
N

パンチガンガーガート
St.Kabir Road
Rabindranath Tagore Road
メイダジン
ビジェスバル
ガンジ
タウン
ホール
カーラ
バイラブ寺院
Adi Sitala
Ghat
オームカレ
シュヴァラ
ビンドゥ
マーダヴァ寺院
アラムギル
マスジッド
Panchganga Ghat
Mangala Gauri Ghat
Venimadhava Ghat
Raja Gwalior Ghat
Jatar Ghat
Ram Ghat
パンチガンガー
ガート
チョウク
Mehfa Ghat
Ganesh Ghat
Bhonsale Ghat
Ganga Mahal Ghat
Godowlia Road
サンカータ
マタ寺院
Sankatha Ghat
Scindia Ghat
ギャーンヴァーピー
マスジッド
Dattatreya Ghat
ヴィシュヴァ
ナート寺院
マニカルニカー
ガート
Vishwanath Gali
Manikarnika Ghat
Jalasayi Ghat
ネパール
寺院
Lalita Ghat
Tripura Bhairwi
ガンジス河
マニカルニカー
ガート
シャンタルマ
ンタル
Manmandir
Ghat
Dr. Rajendra
Prasad Ghat
Prayag Ghat
Dasaswamedh Ghat
N
0km
1km

ヌ神が願いを尋ねると、アグニ・ビンドゥは「(ヴィシュヌ神が)この地にいて守護してください」と答えた。以来、ここはヴィシュヌ神の聖地となり、パンチガンガー・ガートで沐浴すれば、誰でも富と繁栄を得、罪は消滅、救いを得られるという。雨季には水没することもめずらしくなく、カルティカ月には、シヴァ神をふくむすべての神さまがここで沐浴すると言われ、近くにはいくつもの祠が点在する。当時、最下層の織物職人の出身で、のちに聖者として信仰されるカビール(1440～1518年)が、ヒンドゥー教ヴィシュヌ派のラーマーナンダに入門した場所としても知られる(バラナシを拠点としたラーマーナンダは、さまざまなカーストの者を弟子とし、そこからカビール派が生まれた)。

★★★

ガンジス河 *Ganges*
ガート *Ghat*
ダシャーシュワメード・ガート *Dashashwamedh Ghat*
マニカルニカー・ガート *Manikarnika Ghat*

★★☆

ビシュワナート・ガリ *Vishwanath Gali*
アラムギル・マスジッド *Alamgir Masjid*
パンチガンガー・ガート *Panchganga Ghat*

★☆☆

マンマンディル・ガート(ジャンタル・マンタル) *Manmandir Ghat*
ヴィシュヴァナート寺院 *Vishwanath Mandir*
ギャーンヴァーピー・マスジッド *Gyanvapi Masjid*
ネパール寺院(ラリタ・ガート) *Nepali Mandir*
シンディア・ガート *Scindia Ghat*
サンカータマタ寺院 *Sankahtha Mata Mandir*
オームカレシュヴァラ *Omkareshwar*
ビンドゥ・マーダヴァ寺院 *Bindu Madhav Mandir*
ラール・カーンの墓 *Tomb of Lal Khan*
アディ・ケーシャヴァ・ガート *Adi Keshava Ghat*
ワルナー・サンガム *Varuna Sangam*
ラージガート *Raj Ghat*
イスラム教徒居住区 *Muslim Area*
チョウク *Chowk*
ビジェスバル・ガンジ *Visheshvar Ganj*
タウン・ホール *The Town Hall*
カーラ・バイラブ寺院 *Kaal Bhairava Mandir*
ナイ・サラク *Nai Sarak*
パンチャ・クローシー巡礼路 *Pancha Kroshi*

アラムギル・マスジッド ★★☆

Alamgir Masjid／Ⓗ औरंगजेब मस्जिद Ⓤ اورنگزیب مسجد

パンチガンガー・ガートから階段をのぼった先にそびえているアラムギル・マスジッド。バラナシのガンジス河畔で最大の建築で、巨大なドーム、石づくりのモスクの壮大な姿はガートからも確認できる。もともとこの地はバラナシに3つある丘陵のひとつ（オームカレシュヴァラ）で、ヒンドゥー教ヴィシュヌ派のベニ・マダヴ・カ・ダレラが立っていた。1673年にイスラム教の熱心な信者であったムガル帝国第6代アウラングゼーブ帝の命で、ヒンドゥー寺院を壊し、その石材を利用してアラムギル・マスジッドが建てられた（アラムギルとはアウラングゼーブ帝のことで、アウラングゼーブの大モスクとも呼ぶ）。前面に3つのイワンをもち、モスクの高さと同じほどの深さの構造物が地下にあるという。

全インドをイスラム教徒に

アラムギル・マスジッドの立つ位置は、バラナシのなかでもっともヒンドゥー教とイスラム教のせめぎあいが見られた場所だった。1494年にはバラナシのほとんどのヒンドゥー寺院が破壊されたが、インド最大のイスラム王朝と言われるムガル帝国（1526〜1857年）にあって、第3代アクバル帝、第4代ジャハンギール帝時代にはヒンドゥー教徒とイスラム教徒の融和策が試みられ、双方の宗教が尊重された。けれども第6代アウラングゼーブ帝は熱心なイスラム教徒で、全インドのイスラム化を目指してデカン高原にも進出した。アウラングゼーブ帝は、1663年にバラナシを占領し、1669年、ヴィシュヴァナート寺院についでベニ・マダヴ・カ・ダレラも破壊され、1673年、そのうえにアラムギル・マスジッドが建てられた。アウラングゼーブ帝の強硬な政策は、地方勢力の離反をまねき、やがてムガル帝国は弱体化していった。

ビンドゥ・マーダヴァ寺院 ★☆☆

Bindu Madhav Mandir／㋪ बिंदुमाधव मंदिर　㋒ بندو مادھو مندر

アラムギル・マスジッドのそばに立つビンドゥ・マーダヴァ寺院。この地にはベニ・マダヴ・カ・ダレラというヴィシュヌ派のヒンドゥー寺院があったが、1669年、ムガル帝国第6代アウラングゼーブ帝によって破壊された。その後、ビンドゥ・マーダヴァ寺院が再建され、シヴァ信仰が盛んなバラナシにあって、ここはヴィシュヌ派の寺院となっている(11世紀創建のヴィシュヌ寺院が再建された)。

シンディア・ガート ★☆☆

Scindia Ghat／㋪ सिंधिया घाट／㋒ سندھیا گھاٹ

ガンジス河のほとりに、半分沈んだ状態で寺院が立つシンディア・ガート。これは19世紀のガート建設のとき、神殿の重さで寺院が陥落したためで、シカラだけを地上に見せる特異な景観をつくっている。火の神アグニはここで生まれたと伝えられる。

サンカータマタ寺院 ★☆☆

Sankahtha Mata Mandir／㋪ संकटा माता मंदिर／㋒ سنکٹا ماتا مندر

シンディア・ガートの奥に立つサンカータマタ寺院。「救済の女神」サンカータマタに捧げられ、寺域にはライオン像も見られる。近くには九惑星をまつる寺院も残る。

ラール・カーンの墓 ★☆☆

Tomb of Lal Khan／㋪ लाल खान का मकबरा／㋒ لال خان کا مقبرہ

鉄道のカーシー駅の近くに残るラール・カーンの墓。ムガル帝国中期の1773年に建てられ、正方形のプランにドーム屋根を載せる。ガンジス河にのぞむ美しいたたず

アウラングゼーブ帝によるモスク、ガートからも見える

旧市街の物売り、周囲の農村から物資が集まる

まいを見せる。

アディ・ケーシャヴァ・ガート ★☆☆

Adi Keshava Ghat ／Ⓗ आदि केशव घाट Ⓤ ادی کیشوا گھاٹ

アディ・ケーシャヴァ・ガートは、ラージガートに位置するバラナシ旧市街北端のガート。ここはシヴァ神の使者としてヴィシュヌ神が最初に上陸した場所で、バラナシの中心が南に移動する前の中心地であった。あたりにはガネーシャをまつる祠がいくつか見られる。

ワルナー・サンガム ★☆☆

Varuna Sangam Ⓗ वरुण संगम／Ⓤ ورونا سنگم

ワルナー川がガンジス河にそそぐ合流点にあたるワルナー・サンガム。古くバラナシの街はこのあたりに開け、次第に南に広がっていったという（バラナシという名称は、ワルナー川とアッシー川のあいだを意味する）。シヴァ神に派遣されたヴィシュヌ神が最初に訪れた場所だとされ、ヴィシュヌ神が建てたというリンガが立っている。バラナシの中心から少し離れているため、静かな時間が流れている。

ラージガート ★☆☆

Raj Ghat ／Ⓗ राज घाट／Ⓤ راج گھاٹ

ワルナー川がガンジス河に合流する場所のラージガートには、紀元前8世紀以前から集落が形成されていて、ここがバラナシ発祥の地とされる（ラージガートの海抜は82mで、周囲よりも15m高く、ガンジス河の水害をさけることができた）。長らくバラナシの中心がおかれていたが、1194年にバラナシを征服したイスラム勢力のアイバクがラージガートの砦も破壊し、街の中心は南に遷っていった。またこのあたりにはガンジス河の水運を利用した港もあったが、鉄道の開通によって徐々に重要性がさがっていった。

Geki Ga Sasaeru

三叉の戟が街を支える

あらぶるシヴァ神は破壊と生命力を象徴する
男性器に見立てられるリンガ、第3の目から発せられる光線
シヴァ神はヴィシュヌ神とならんでインドでもっとも人気の高い神様

シヴァ神の守護する街

古代インドの叙事詩『マハーバーラタ』『ラーマーヤナ』にもシヴァ神の棲む街バラナシ(カーシー)の記載がある。シヴァ神の三叉の戟(げき)で支えられたバラナシは、小石にいたるまでシヴァ神が宿ると信じられ、どのような洪水が起きようと、世界の終わりがきても街は沈まないという。三叉の戟の先は、中心のヴィシュヴァナート寺院とその南北のケーダーレーシュヴァラ寺院、オーンカーレーシュヴァラ寺院のリンガがそれぞれにあたるという。

シヴァ信仰の体系

破壊と生命力を象徴するシヴァ神への信仰は、インダス文明にさかのぼり、毎年のようにインドを襲い、この地に破壊と恵みをもたらしてきたモンスーンが神格化されたと言われる。この原住民の神と『リグ・ヴェーダ』で描かれた暴風神ルドラを同一視することでシヴァ信仰が形成されるようになった。世界を破壊するときは黒いマハーカラ(大黒天)の姿で現れ、またサティー、パールヴァティー、ドゥルガー、カーリーなどの女神を妃として、ガ

ネーシャ、スカンダを息子として、シヴァ信仰にとりこんでいる。

シヴァ神の姿とは

額に光線を発する第3の目をもち、三叉の戟と大鼓をもつ腕は4本あるというシヴァ神。身体に蛇をまきつけ、聖牛ナンディンに乗るというイメージでその姿は描かれてきた(生命エネルギーの躍動から踊っている彫刻も多く見られる)。またヨーニ(女陰)をつらぬくリンガ(男性器)は、新たな生命を生み出す生命力の象徴で、シヴァ神そのものと考えられている。ヴィシュヴァナート寺院はじめバラナシのいたるところでこのリンガを目にすることができる。

ガンジス河の降下

天界を流れるガンジス河が地上に降下したのは、聖者バギラータが親族の魂を浄化させるために長年、苦行を行なったからだという。いざガンジス河が降下することになって、その水量があまりに多いため、シヴァ神がガンジス河を頭上で受けとめ、河はその髪の毛を伝わって地上に流れるようになった。こうしてヒマラヤからくだったガンジス河はヒンドゥスタン平原をうるおし、海に注いでから、再び、天界へ戻ると考えられている。

Chowk

チョウク城市案内

ガンジス河ほとりのガートからはじまった街
イギリス植民地時代をへて市域は周辺へ拡大し
チョウクはバラナシ随一の市街地となっている

バラナシ市街の構成

バラナシの街は、ガンジス河畔ガートのほとりからはじまり、旧市街では入り組んだ迷路のような細い路地が続く。イギリス植民地時代に街の整備が進み、湖沼が埋め立てられ、ゴードリヤーからダシャーシュワメード・ガートへ続く道もできた。そして、このゴードリヤーの北側に1830年、新しい市場ビジェスバル・ガンジがつくられ、イギリスによる植民統治のための行政庁舎タウンホール、郵便局(GPO)、警察署も旧市街北側にあった。この市域をチョウクと呼ぶ。一方で、イギリス人の暮らすカントンメント(軍用地)はガンジス河から離れた北西部にあり、1862年、バラナシ鉄道駅が開通し、カントンメントとガンジス河畔の旧市街を結ぶ通りのナイ・サラクも通じた。当時のバラナシは北インドのショール、南インドのダイヤモンド、東インド(現バングラデシュ)のモスリンが集まる産業都市という顔をもち、衣料品市場、穀物市場、野菜市場、食料品市場が市街各地にあり、ゴードリヤー北側のチョウクが一番にぎわっていた。現在もチョウクとさらにその北のコトバリワードにバラナシの人口が集中している。

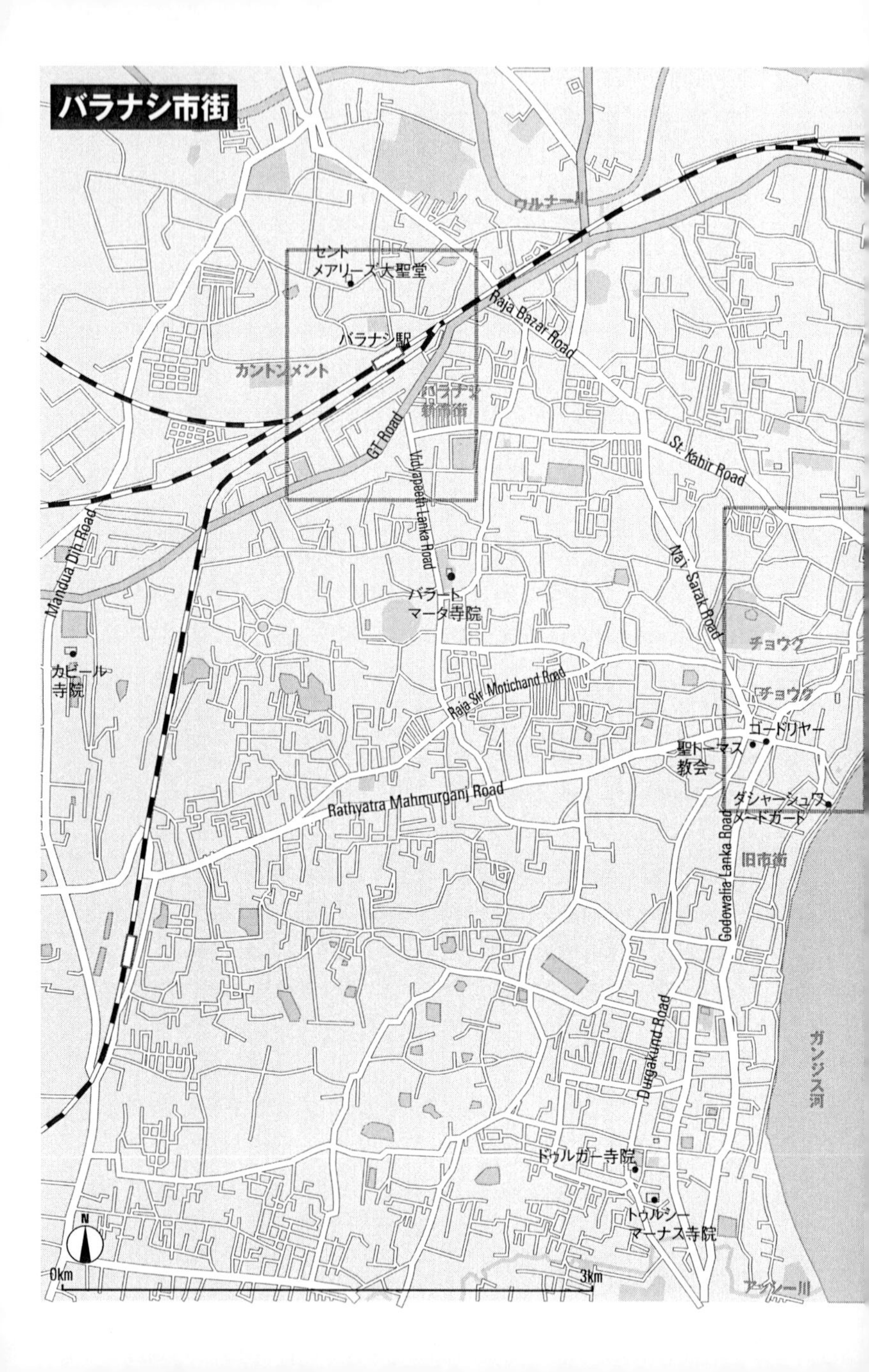

バラナシ市街
ウルナー川
セント
メアリーズ大聖堂
バラナシ駅
カントンメント
バラナシ
新市街
Raja Bazar Road
GT Road
Vidyapeeth Lanka Road
St. Kabir Road
Mandua Dih Road
Nai Sarak Road
バラート
マータ寺院
カビール
寺院
チョウク
チョウク
Raja Sir Motichand Road
ゴードリヤー
聖トーマス
教会
Rathyatra Mahmurganj Road
ダシャーシュワ
メードガート
Godowalia Lanka Road
旧市街
Durgakund Road
ガンジス河
ドゥルガー寺院
トゥルシー
マーナス寺院
N
0km
3km
アッシー川

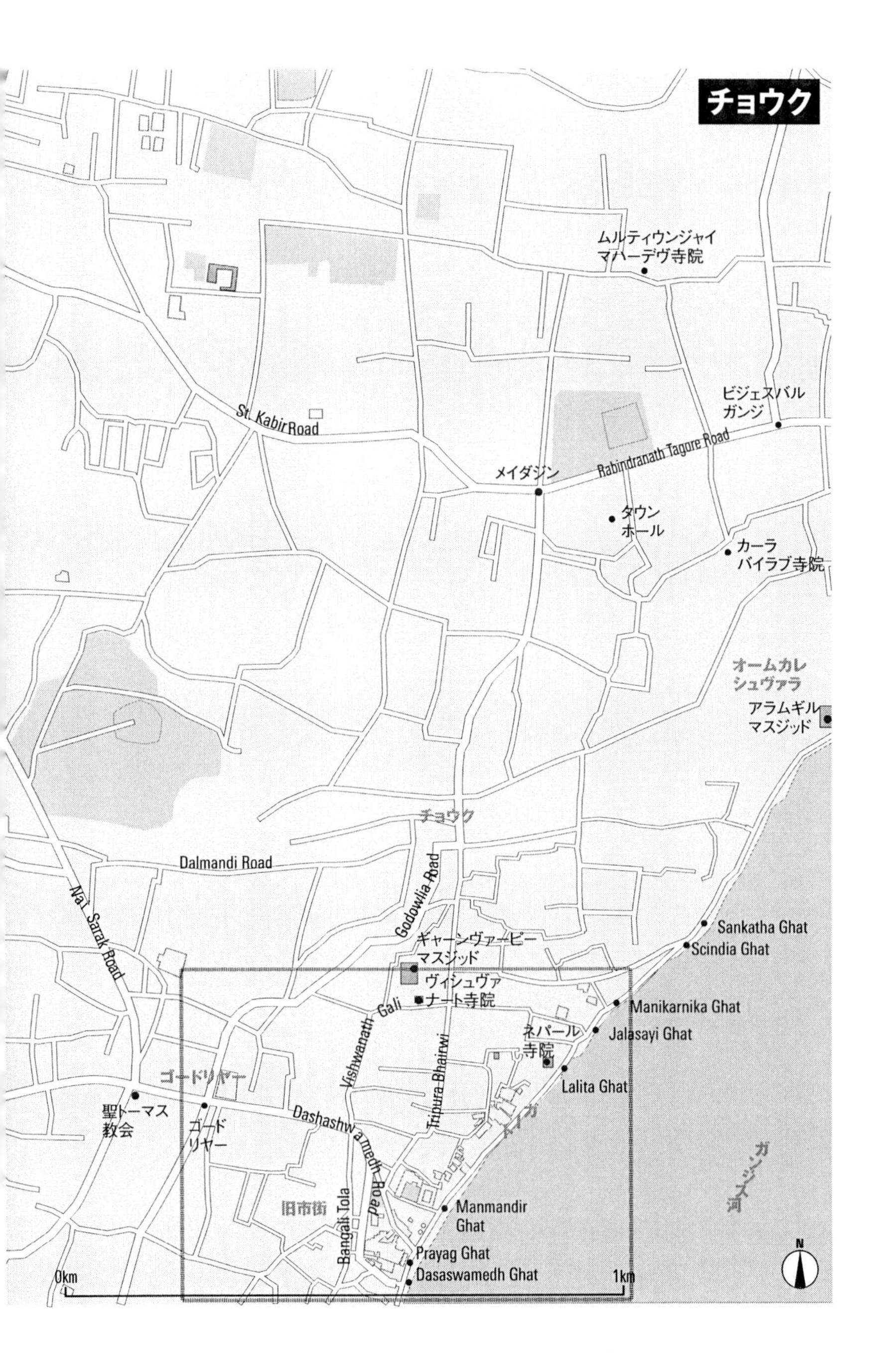

チョウク
ムルティウンジャイ
マハーデヴ寺院
St. Kabir Road
ビジェスバル
ガンジ
Rabindranath Tagore Road
メイダジン
タウン
ホール
カーラ
バイラブ寺院
オームカレ
シュヴァラ
アラムギル
マスジッド
チョウク
Dalmandi Road
Nai Sarak Road
Godowlia Road
Sankatha Ghat
Scindia Ghat
ギャーンヴァーピー
マスジッド
ヴィシュヴァ
ナート寺院
Vishwanath Gali
Manikarnika Ghat
ネパール
寺院
Jalasayi Ghat
Tripura Bhairwi
ゴードリヤー
Lalita Ghat
聖トーマス
教会
ゴード
リヤー
Dashashwamedh Road
ガンジス河
旧市街
Bangali Tola
Manmandir
Ghat
Prayag Ghat
Dasaswamedh Ghat
0km
1km
N

イスラム教徒居住区 ★☆☆

Muslim Area ㊪ मुस्लिम क्षेत्र ㋒ مسلم علاقہ

1194年にゴール朝のアイバクによって占領されて以来、バラナシにはイスラム教の伝統も息づいている。当時のバラナシの中心地は、市街北部（アラムギル・マスジッドの立つ場所）にあったため、現在でもイスラム教徒は市街北東部に多く暮らし、モスクもこの地に点在する。そして、ムガル帝国アクバル帝（在位1556〜1605年）の時代、バラナシは「ムハンマダーバード（ムハンマドの都市）」と呼ばれることもあった。街の特産品である絹織物職人の多くはイスラム教徒で、この職業の地位が低かったため、多くのヒン

★★★

ガンジス河 *Ganges*
ガート *Ghat*
ダシャーシュワメード・ガート *Dashashwamedh Ghat*
マニカルニカー・ガート *Manikarnika Ghat*

★★☆

ベンガリー・トラ *Bangali Tola*
アラムギル・マスジッド *Alamgir Masjid*

★☆☆

ゴードリヤー *Godowlia*
チョウク *Chowk*
ビジェスバル・ガンジ *Visheshvar Ganj*
タウン・ホール *The Town Hall*
カーラ・バイラブ寺院 *Kaal Bhairava Mandir*
ムルティウンジャイ・マハーデヴ寺院 *Mrityunjay Mahadev Mandir*
聖トーマス教会 *St.Thomas Church*
カントンメント *Cantonment*
ナイ・サラク *Nai Sarak*
バラナシ駅 *Varanasi Junction Railway Station(Varanasi R.S.)*
グランド・トランク・ロード *Grand Trunk Road*
セント・メアリーズ大聖堂 *St. Mary's Cathedral*
バーラト・マータ寺院 *Bharat Mata Mandir*
カビール寺院 *Kabir Sahib Mandir(Kabir Math)*
ダシャーシュワメーダ・ロード *Dasashwamedh Road*
マンマンディル・ガート（ジャンタル・マンタル） *Manmandir Ghat*
ヴィシュヴァナート寺院 *Vishwanath Mandir*
ギャーンヴァーピー・マスジッド *Gyanvapi Masjid*
ネパール寺院（ラリタ・ガート） *Nepali Mandir*
シンディア・ガート *Scindia Ghat*
ドゥルガー寺院 *Durga Mandir*
トゥルシーマーナス寺院 *Tulsi Manas Mandir*
オームカレシュヴァラ *Omkareshwar*

バラナシへ巡礼に訪れた人

シヴァ神はヴィシュヌ神と人気を二分する

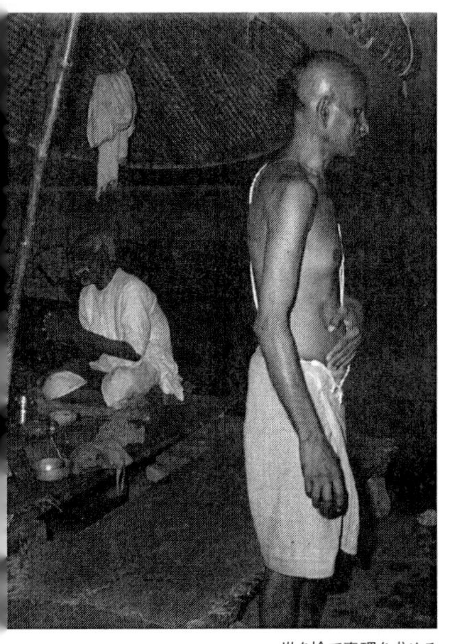

世を捨て真理を求める

インドでは新中間層も台頭している

ドゥー教徒が改宗したという経緯がある。現在、バラナシの人口の30％程度がイスラム教徒だと言われ、パキスタンの国語となっているウルドゥー語はこの街でも発達することになった。

チョウク ★☆☆
Chowk／Ⓗ चौक／Ⓤ چوک

ゴードリヤーからマイダジン交差点へ向かって伸びるゴードリヤー・ロード。このあたりをチョウクといい、銀行、商社、衣料品の店舗などが集まるバラナシで一番の市街地となっている（チョウクはバラナシの中心業務地区）。チョウクとその北側のコトバリワードがもっとも人口密度も高く、その多くがヒンドゥー教徒となっている。

ビジェスバル・ガンジ ★☆☆
Visheshvar Ganj／Ⓗ विशेश्वरगंज／Ⓤ وشیشور گنج

ビジェスバル・ガンジはイギリス植民地時代の19世紀に旧市街の北側につくられた商業地、市街地。イギリス行政庁舎であったタウン・ホール、郵便局（GPO）、警察署などが集まり、食品穀物市場も見られる。ビジェスバル・ガンジを東西に伸びるラビンドラナート・タゴールロードにはマチョダリ公園が位置する。

タウン・ホール ★☆☆
Town Hall／Ⓗ टाउन हॉल／Ⓤ ٹاؤن ہال

イギリス植民地時代のバラナシを統治する官僚機構がおかれていたタウン・ホール（市庁舎）。1870年にエディンバラ公爵の来訪を記念して、ヴィジアナグラムのマハラジャによって建てられた。インド・サラセン様式の建築で、上部にドームを載せる。

カーラ・バイラブ寺院 ★☆☆

Kaal Bhairava Mandir　Ⓗ काल भैरव मंदिर　Ⓤ کال بھیرو مندر

死をつかさどるシヴァ神の恐ろしい姿のカーラ・バイラブ神がまつられたカーラ・バイラブ寺院。カーラ・バイラブ神はブラフマーの冒涜に怒りを覚え、その頭のひとつを切り落としてしまった。ブラフマー神の頭は呪いでカーラ・バイラブ神の手から離れなかったが、バラナシに入ったときについにそれが地面に落ちた。そして、カーラ・バイラブ神はシヴァ神によって「バラナシのコトワール(守護者)」に任命され、人びとを祝福し、罰する。ガートからは少し離れているが、この街のヒンドゥー寺院のなかでも有数の伝統をもち、黒い身体をもつ恐ろしいカーラ・バイラブ神は、街を守護するとして信仰を集めている。近くにはコトワール(守護者)の名前のついた警察署も立つ。

ムルティウンジャイ・マハーデヴ寺院 ★☆☆

Mrityunjay Mahadev Mandir／Ⓗ मृत्युंजय महादेव मंदिर
Ⓤ مرتیونجے مہادیو مندر

チョウクの北側、ダラナガルの一角に残るムルティウンジャイ・マハーデヴ寺院。バラナシでも古くからの伝統がある寺院で、シヴァ・リンガが安置されている。ヒンドゥー教で重要な意味をもつ井戸があり、アーユルヴェーダの父ダンヴァンタリがこの井戸に薬を注いだと伝えられる。ムルティウンジャイ・マハーデヴ寺院の水には、自らにせまりくる害をとりのぞく力があるという。

聖トーマス教会 ★☆☆

St.Thomas Church　Ⓗ सेंट थॉमस चर्च　Ⓤ سینٹ تھامس چرچ

ゴードリヤーのそばに立つ古いキリスト教会の聖トーマス教会。高さ18.3mの建物は、少なくとも18世紀以前に建てられた。また西暦52年〜72年にインド(ケーララ)を訪れて布教したイエスの使徒「聖トーマス」の名前がつけられていることからも、当時、聖トーマスがバラナシに布教に訪れたと信じる人もいる。

ナイ・サラク ★☆☆

Nai Sarak／㊦नई सरक／㋒نئی سڑک

ゴードリヤー方面とバラナシ鉄道駅を結ぶナイ・サラクは、イギリス植民地時代(18〜20世紀)につくられた。ナイ・サラクとは「(旧市街と新市街を結ぶ)新しい通り」を意味し、バラナシを代表する通りとなっている。

Cantonment

新市街城市案内

**ガンジス河ほとりの旧市街に対して
イギリス植民地時代に整備された新市街
ゆったりとした道路幅で旧市街とは面影を異にする**

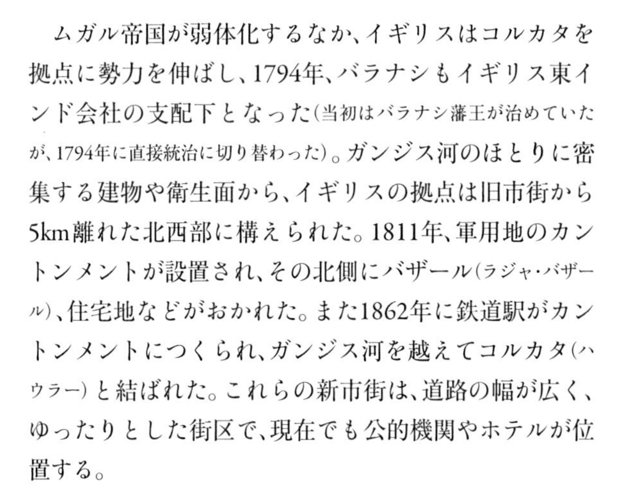

カントンメント ★☆☆

Cantonment／㋪कन्टोनमेंट／㋒کینٹونمنٹ

　ムガル帝国が弱体化するなか、イギリスはコルカタを拠点に勢力を伸ばし、1794年、バラナシもイギリス東インド会社の支配下となった(当初はバラナシ藩王が治めていたが、1794年に直接統治に切り替わった)。ガンジス河のほとりに密集する建物や衛生面から、イギリスの拠点は旧市街から5km離れた北西部に構えられた。1811年、軍用地のカントンメントが設置され、その北側にバザール(ラジャ・バザール)、住宅地などがおかれた。また1862年に鉄道駅がカントンメントにつくられ、ガンジス河を越えてコルカタ(ハウラー)と結ばれた。これらの新市街は、道路の幅が広く、ゆったりとした街区で、現在でも公的機関やホテルが位置する。

バラナシ駅 ★☆☆

Varanasi Junction Railway Station（Varanasi R.S.）
㋪वाराणसी जंक्शन रेलवे स्टेशन　㋒وارانسی جنکشن ریلوے اسٹیشن

　ガンジス河畔の旧市街まで5kmの市街北西部に位置するバラナシ・ジャンクション駅(バラナシ駅)。新市街のカントンメントにあることから、バラナシ・カントンメント駅ともいう。1862年に開業したこのバラナシ駅と鉄道の整

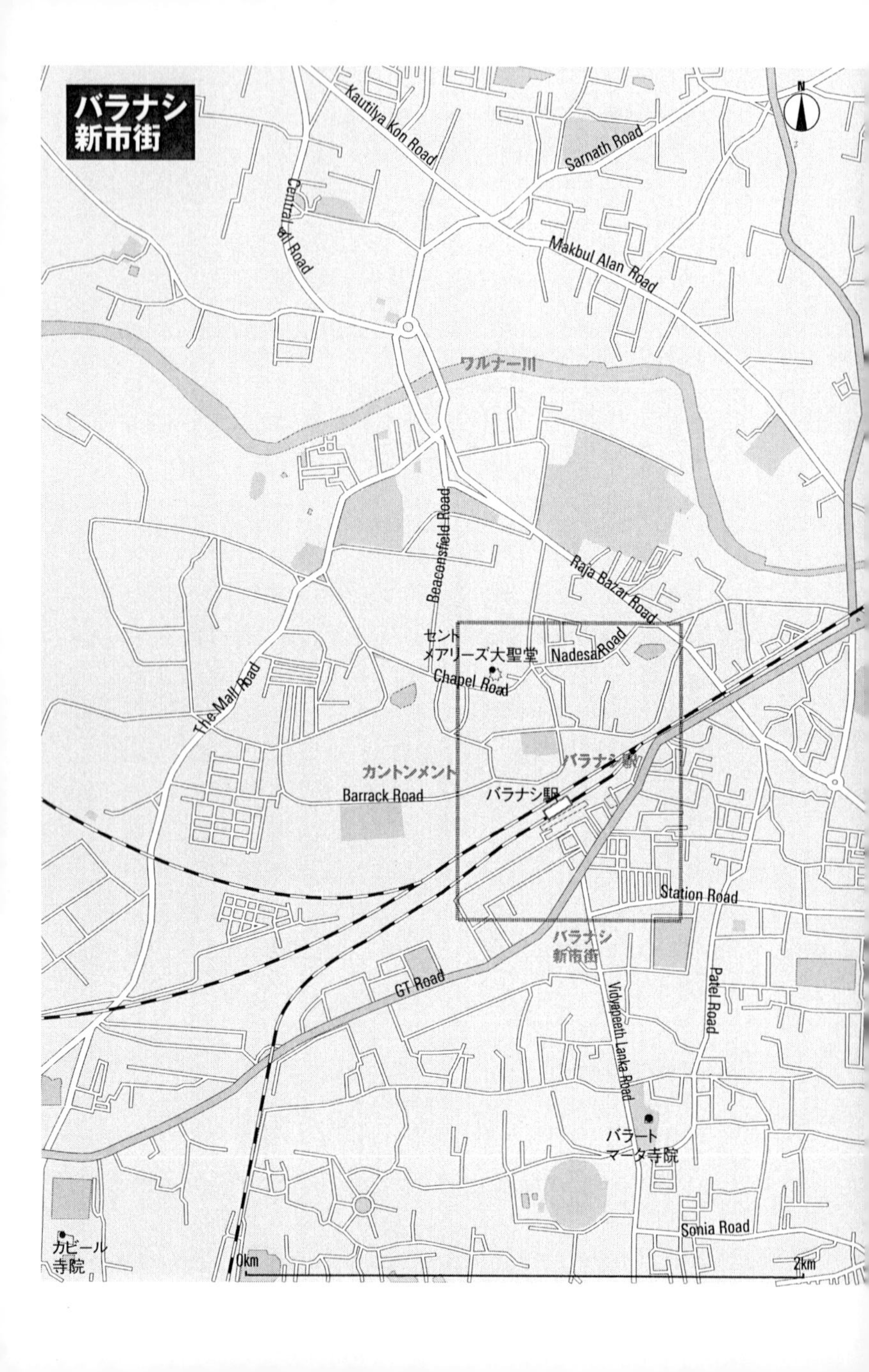

バラナシ
新市街
Kautilya Kon Road
Sarnath Road
Central Mall Road
Makbul Alan Road
ワルナー川
Beaconsfield Road
Raja Bazar Road
セント
メアリーズ大聖堂
Nadesar Road
Chapel Road
The Mall Road
カントンメント
バラナシ駅
Barrack Road
バラナシ駅
Station Road
バラナシ
新市街
GT Road
Patel Road
Vidyapeeth Lanka Road
バラート
マータ寺院
Sonia Road
カビール
寺院
0km
2km
N

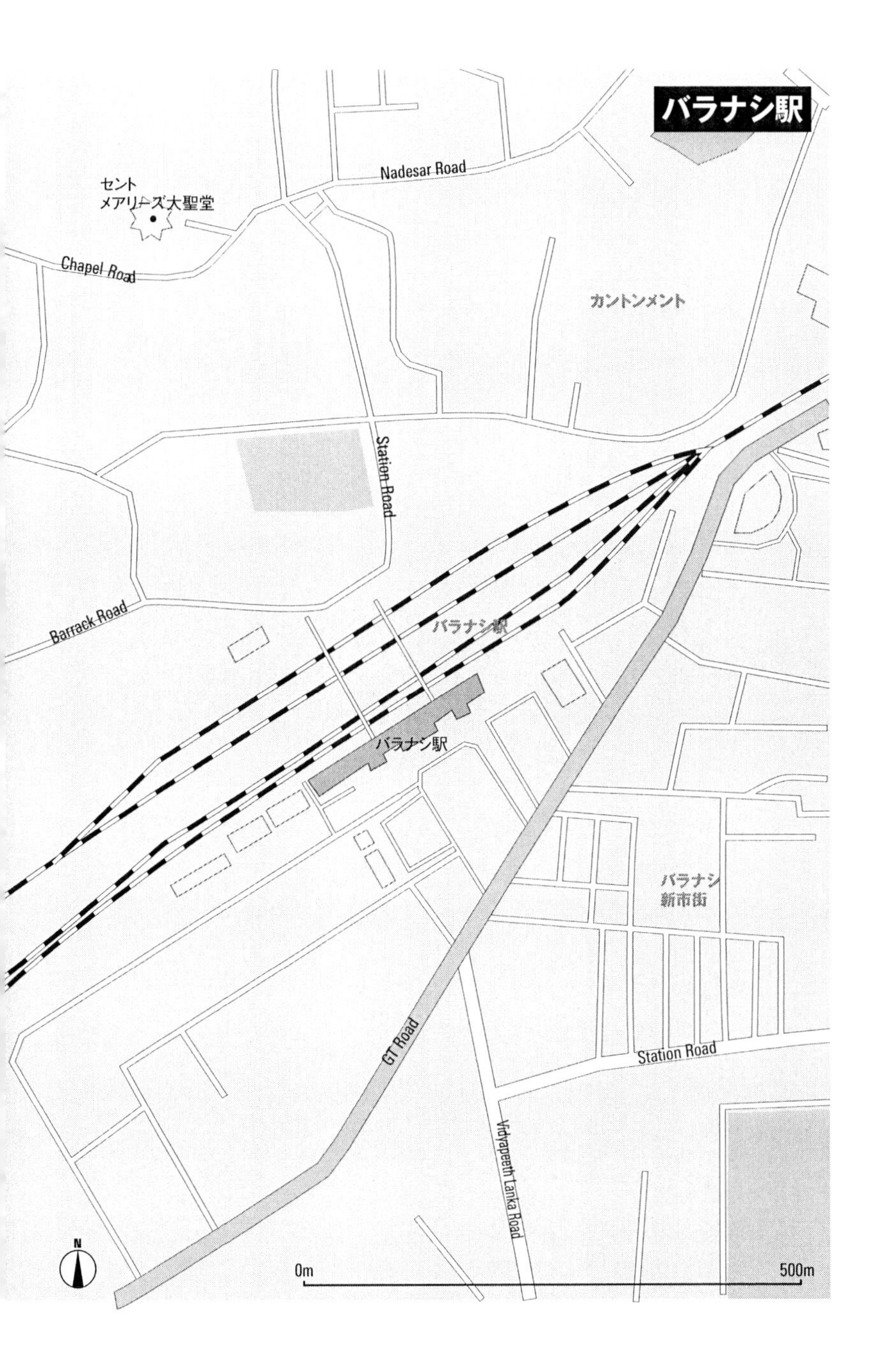

バラナシ駅
Nadesar Road
セント
メアリーズ大聖堂
Chapel Road
カントンメント
Station Road
Barrack Road
バラナシ駅
バラナシ駅
バラナシ
新市街
GT Road
Station Road
Vidyapeeth Lanka Road
N
0m
500m

備で、ガンジス河をまたぐ鉄橋がかけられ、コルカタのハウラー駅と結ばれた。バラナシには、このジャンクション駅とシティ駅があるが、それは北インド鉄道局と北東インド鉄道局の2路線があるためで、北東インド鉄道局のシティ駅には狭軌(幅の狭い線路で、広軌よりも速度が出ない)のレールが敷かれている。ゴラクプール、ファイザバード、ラクナウなどとも結ばれ、やがてデリーやムンバイとの列車も往来するようになった(ガンジス河の水運は後退した)。バラナシ・ジャンクション駅はヒンドゥー寺院がイメージされた建物で、中央と両端にはシカラ屋根が見られ、中央にはチャクラ(円、車輪)が載る。

グランド・トランク・ロード ★☆☆

Grand Trunk Road ㋪ ग्रैंड ट्रंक रोड／㋒ گرینڈ ٹرنک روڈ

北インドの各都市を結ぶ大動脈グランド・トランク・ロード(GTロード)。デリーとコルカタの中間に位置するバラナシでは、鉄道駅近くから市街北側を通り、ガンジス河を越えてベンガル地方へと続いていく。古来、インドでは、北西から20以上の民族が侵入し、土着の文化と融合することで新たな文化が育まれてきた。中央アジアからガンジス河中流域、ベンガルへと続くグランド・トランク・ロードは、「覇王の道」とも呼ばれ、とくにムガル帝国時代にこの道は整備された。

★☆☆
カントンメント *Cantonment*
バラナシ駅 *Varanasi Junction Railway Station (Varanasi R.S.)*
グランド・トランク・ロード *Grand Trunk Road*
セント・メアリーズ大聖堂 *St. Mary's Cathedral*
バーラト・マータ寺院 *Bharat Mata Mandir*
カビール寺院 *Kabir Sahib Mandir (Kabir Math)*

セント・メアリーズ大聖堂 ★☆☆

St. Mary's Cathedral／Ⓗ सेंट मेरीज़ कैथेड्रल／Ⓤ سینٹ میری کیتھیڈرل

セント・メアリーズ大聖堂は、カントンメントに立つキリスト教会。ローマ・カトリック教会は、18世紀末から北西インドへの布教を試み、各地区ごとに布教拠点があった。ヒンドゥー教の聖地であるバラナシへは、布教は遅れたものの、この地に暮らすイギリス人が礼拝に訪れるために教会を必要とした。セント・メアリーズ大聖堂は、赤屋根で、単純な平面形を組み合わせた幾何学的な外観をもつ。

バラート・マータ寺院 ★☆☆

Bharat Mata Mandir／Ⓗ भारत माता मंदिर　Ⓤ بھارت ماتا مندر

「インドの母なる寺院(バーラトはインド、マータは母を意味する)」と呼ばれるバーラト・マータ寺院は、イギリス植民地時代の1936年に建てられた。当時、イギリス支配のなかでインドに主権はなく、その富は海外へ流れ続けていた。そうした状況のなか、この寺院はインドの独立と統一の願いをこめて造営され、その祝典でガンジーは「インドはひとつである」という演説をしている。1921年に設立された公立大学のマハトマ・ガンジー・カーシー・ヴィディヤピート内に位置し、寺院内にはインド洋海岸からヒマラヤ山脈にいたる広大なインド国土の立体図がおかれている。

カビール寺院 ★☆☆

Kabir Sahib Mandir（Kabir Math）／Ⓗ कबीर साहिब मंदिर／
Ⓤ کبیر صاحب مندر

カビール寺院は、ヒンドゥー教の改革派と見られるカビール派の寺院で、サマディ・マンディール、カビルの小屋とチャブタラ、ビージャク寺院、ニール・ティーラ、図書館などからなる。バラナシに生まれた宗教詩人カビール(1440〜1518年)は、ヒンドゥー教のなかにイスラム教の教えをとりこむことで両宗教の融合を試みた人物で、この寺院にはカビールの遺骨が納められている。カースト制が根づいたインドにあって、ありとあらゆる人に門を開いたことから、カビールは人びとの尊敬を集め、ヒンドゥー教、イスラム教、シク教などさまざまな宗教を信仰する人びとが巡礼に訪れる(カビール派の信者はバラナシを中心に点在する)。四方に白大理石の回廊をめぐらせ、その中央の本体上部のドームには尖塔が立つという、ヒンドゥー教、イスラム教双方の要素をとり入れた様式をもつ。

バラナシに生まれた宗教詩人カビール

　バラナシ旧市街から6kmほど離れた蓮の華が咲くレハルタラの池のそばに立つカビール寺院。カビール(1440〜1518年)は、バラモンの私生児として生まれたが、すぐにここに捨てられた。当時、結婚したばかりのイスラム教徒のニールとニーマは、レハルタラの池のほとりで赤ん坊(カビール)の泣き声を耳にし、その子を育てることを決めた(織物工の社会的地位の低さで、数代前にヒンドゥー教からイスラム教に集団改宗していた)。こうしてカビールは貧しい織物工の家庭で育ち、正規の教育を受けることもなかった。しかし、バラナシを拠点にしたヒンドゥー教ヴィシュヌ派のラーマーナンダは、カーストを否定する思想をもっていたことから、カビールにも門戸を開き(弟子とし)、やがてカビールは「(神の名前はアッラーでもラーマでもよく)人間よ、見せかけや狡猾さを捨てよ。カビールは言う、賤しき者は誰もいない」と説いた。異なる宗教を融合させるというカビールの試みは、シク教のグル・ナナク(1469〜1538年)にも影響を与えていて、ナナクは27歳のときにバラナシのカビールに会ったともいう。

ガンジーが演説した、バラート・マータ寺院

活気ある街、経済成長もいちじるしい

おしゃれなカフェも姿を現した

路地で出逢った子どもたち、21世紀はインドの時代と言われる

Around Varanasi

バラナシ郊外城市案内

広大な敷地をもつバナーラス・ヒンドゥー大学
ガンジス河をはさんで対岸には
マハラジャのラムナガル・フォートが残る

バナーラス・ヒンドゥー大学 ★☆☆

Banaras Hindu University ㋪ काशी हिन्दु विश्वविद्यालय／
㋒ کاشی ہندو یونیورسٹی

バラナシの南部に位置するバナーラス・ヒンドゥー大学(BHU)は、アジア最大級の規模のキャンパスをもつ。1916年に街の南につくられた大学構内には新ヴィシュヴァナート寺院(異教徒も入ることができる)、ヒンドゥー彫刻や細密画を展示したバーラト・カーラ・バワン博物館も備えられている。古代バラモンやブッダが生きた時代からバラナシには学問の伝統があり、イスラム勢力の統治下にあった15〜16世紀にもチャイタニヤ、ヴァッラバなどのヒンドゥー教聖者、トゥルシーダースなどの詩人を生んでいる。

新ヴィシュワナート寺院 ★☆☆

New Vishwanath Mandir ㋪ नया विश्वनाथ मंदिर ㋒ نیا وشوناتھ مندر

新ヴィシュワナート寺院はバナーラス・ヒンドゥー大学に立つバラナシのもうひとつのヴィシュワナート寺院(旧市街のヴィシュワナート寺院は、ヒンドゥー教徒にとって最高の聖域)。大学の創設とともに、1931年に建設がはじまり、ビルラ財閥の支援を受けて1966年に完成した。白のシカラ屋根をもつ寺院の高さは76mになり、シヴァ神に捧げられ

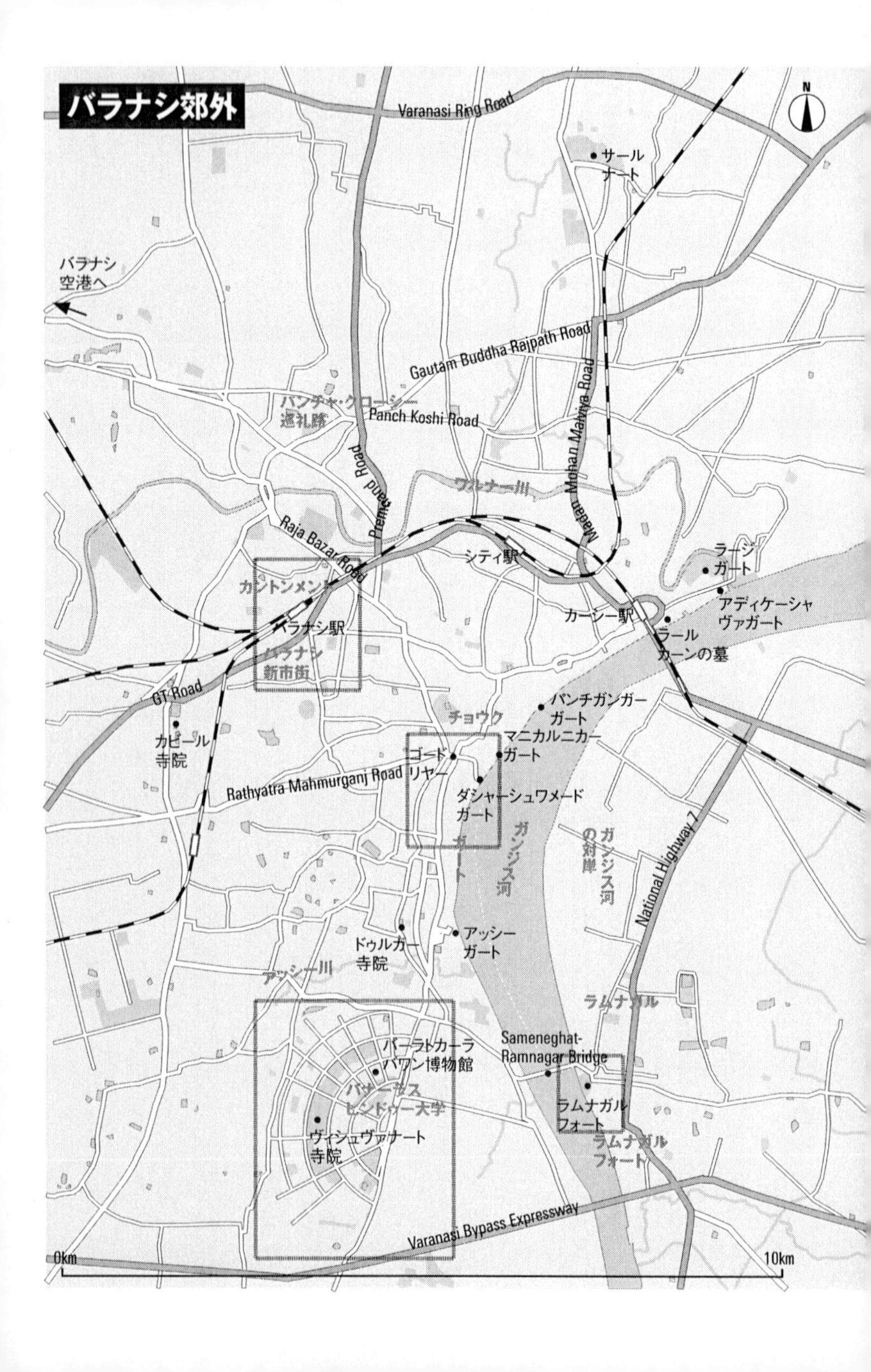

バラナシ郊外
Varanasi Ring Road
サールナート
バラナシ空港へ
Gautam Buddha Rajpath Road
Madan Mohan Malviya Road
パンチャ・クローシー巡礼路
Panch Koshi Road
Premc Road
ワルナー川
Raja Bazar Road
シティ駅
ラージガート
アディケーシャヴァガート
カントンメント
バラナシ駅
カーシー駅
ラールカーンの墓
バラナシ新市街
GT Road
パンチガンガーガート
チョウク
カビール寺院
マニカルニカーガート
ゴードリヤー
Rathyatra Mahmurganj Road
ダシャーシュワメードガート
ガンジス河
ガンジス河の対岸
National Highway 7
アッシーガート
ドゥルガー寺院
アッシー川
ラムナガル
バーラトカーラバワン博物館
Sameneghat-Ramnagar Bridge
バナーラスヒンドゥー大学
ラムナガルフォート
ヴィシュヴァナート寺院
Varanasi Bypass Expressway
0km
10km

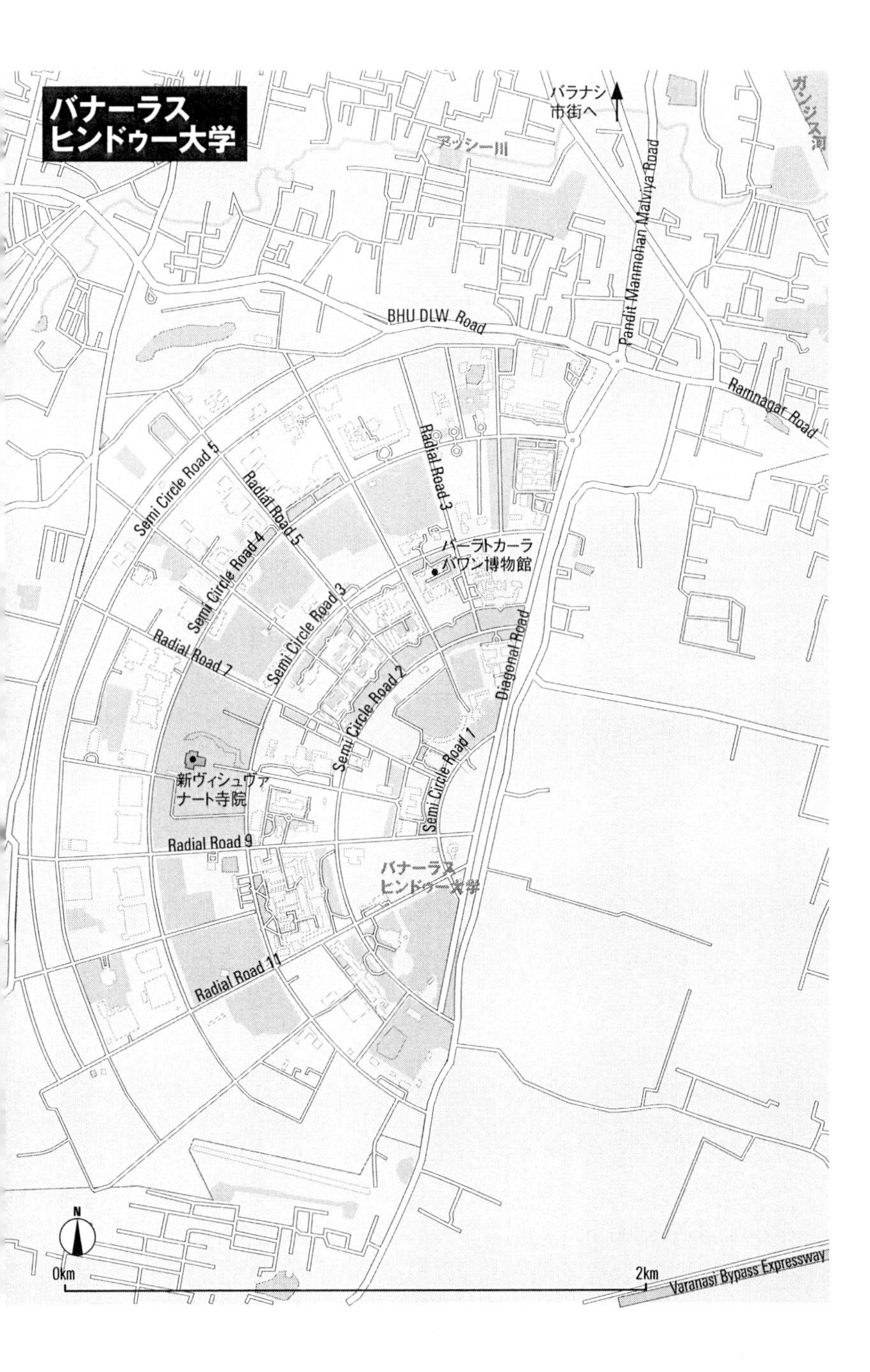

バナーラス
ヒンドゥー大学
バラナシ
市街へ
アッシー川
ガンジス河
Pandit Manmohan Malviya Road
BHU DLW Road
Ramnagar Road
Semi Circle Road 5
Radial Road 3
Radial Road 5
Semi Circle Road 4
Semi Circle Road 3
Radial Road 7
バーラトカーラ
バワン博物館
Diagonal Road
Semi Circle Road 2
Semi Circle Road 1
新ヴィシュヴァ
ナート寺院
Radial Road 9
バナーラス
ヒンドゥー大学
Radial Road 11
N
0km
2km
Varanasi Bypass Expressway

ている。

バーラト・カーラ・バワン博物館 ★☆☆

Bharat Kala Bhavan Museum／Ⓗ भारत कला भवन संग्रहालय／
Ⓤ بھارت کالا بھون میوزیم

バナーラス・ヒンドゥー大学内に位置するバーラト・カーラ・バワン博物館。ラビンドラナート・タゴールが中心となって、1920年に設立され、絵画、彫刻、織物、衣装、装飾、古書など、10万点を超える美術品を収蔵する。15〜16世紀のクリシュナにまつわる細密画やムガル時代の細密画も見られる。

ガンジス河の対岸 ★☆☆

Opposite Bank／Ⓗ विपरीत किनारे／Ⓤ گنگا کے دائیں کنارے

ガンジス河西岸にならぶ建物に対して、その対岸には

★★★
ガンジス河 *Ganges*
ガート *Ghat*
ダシャーシュワメード・ガート *Dashashwamedh Ghat*
マニカルニカー・ガート *Manikarnika Ghat*
★★☆
パンチガンガー・ガート *Panchganga Ghat*
★☆☆
バナーラス・ヒンドゥー大学 *Banaras Hindu University*
新ヴィシュワナート寺院 *New Vishwanath Mandir*
バーラト・カーラ・バワン博物館 *Bharat Kala Bhavan Museum*
ガンジス河の対岸 *Opposite Bank*
ラムナガル・フォート *Ramnagar Fort*
パンチャ・クローシー巡礼路 *Pancha Kroshi*
ゴードリヤー *Godowlia*
アッシー・ガート *Assi Ghat*
ドゥルガー寺院 *Durga Mandir*
ラール・カーンの墓 *Tomb of Lal Khan*
アディ・ケーシャヴァ・ガート *Adi Keshava Ghat*
ラージガート *Raj Ghat*
チョウク *Chowk*
カントンメント *Cantonment*
バラナシ駅 *Varanasi Junction Railway Station(Varanasi R.S.)*
グランド・トランク・ロード *Grand Trunk Road*
カビール寺院 *Kabir Sahib Mandir(Kabir Math)*

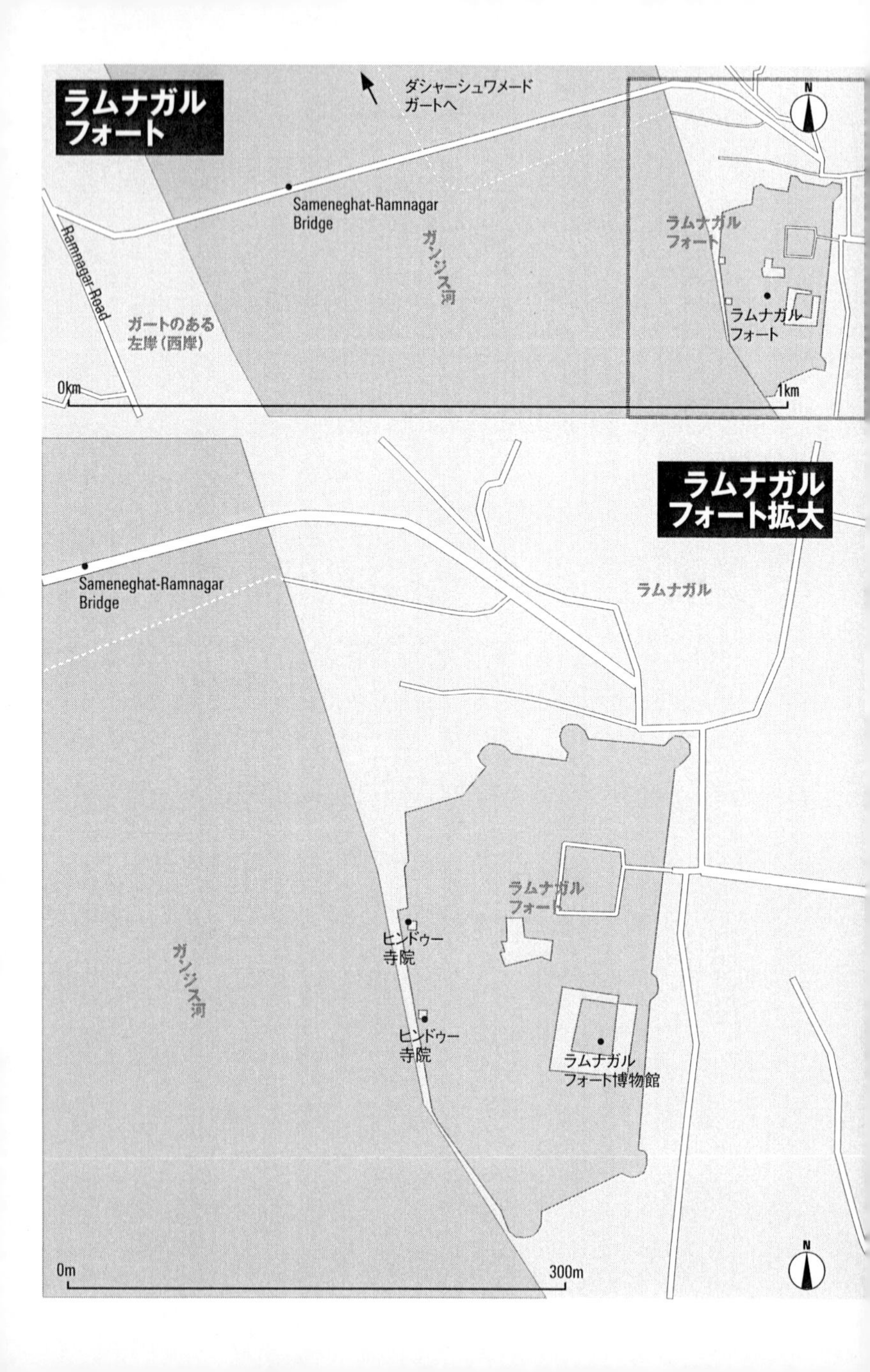
ラムナガル
フォート
ダシャーシュワメード
ガートへ
Sameneghat-Ramnagar
Bridge
Ramnagar Road
ガンジス河
ガートのある
左岸（西岸）
ラムナガル
フォート
ラムナガル
フォート
0km
1km
N
ラムナガル
フォート拡大
Sameneghat-Ramnagar
Bridge
ラムナガル
ラムナガル
フォート
ヒンドゥー
寺院
ヒンドゥー
寺院
ガンジス河
ラムナガル
フォート博物館
0m
300m
N

建物がなく、無人の荒野が広がっている。対岸は「不浄である（東岸で死ぬとロバに生まれ変わるとも言われる）」と考えられているためで、ガンジス河を流れてきた人骨やごつごつとした石が転がる殺伐とした光景が見られる。朝になると、この東岸からのぼる太陽に向かって沐浴する人びとの姿がある。

ラムナガル・フォート ★☆☆

Ramnagar Fort　ⓗरामनगर किला／ⓤرام نگر قلعہ

バラナシの街からガンジス河をはさんだ対岸の上流（南）に位置するラムナガル・フォート。赤砂岩のラムナガル・フォートは1750年に建てられ、18世紀に成立したバラナシ藩王国のマハラジャが住んだ居城には、現在でもその一族が暮らしている。1964年、バラナシのマハラジャがラムナガル・フォートの一部を博物館として開館し、マハラジャの集めた銃や剣、時計、車や輿、織物などのコレクションはじめ、1872年製作の天文時計も見られる。正式名称をマハラジャ・バナーラス・ヴィディヤ・マンディール・トラスト博物館という。

バラナシ藩王国とは

ムガル帝国（1526～1857年）の弱体化とともにインド各地に小さな王権が生まれていった。1725年、マンサ・ラムはバラナシの徴税権を得て、その息子のバルワント・シンが1738年、バラナシ藩王国を建国した（ラムナガル・フォートは1750年創建）。イギリス植民地が進むなかで、インド亜大陸の藩王国は大小560におよび、バラナシ藩王国は比較的小

★★★
ガンジス河 *Ganges*
★☆☆
ラムナガル・フォート *Ramnagar Fort*

さなものだったが、インド共和国成立後もその血脈は続き、マハラジャと呼ばれて、バラナシの人びとに親しまれている。またバナーラス・ヒンドゥー大学に領地の一部を寄進したり、『ラーマーヤナ』の野外劇を催すなど、マハラジャの一族は代々、学問、芸術の保護につとめてきた。

パンチャ・クローシー巡礼路 ★☆☆

Pancha Kroshi ㋪पंच कोशी ㋒پنچ کروشی

シヴァ神が守護するバラナシには1500と言われる寺院があり、ヴィシュヴァナート寺院を中心にそれらの寺院を結ぶ巡礼路が展開する。この信仰の道は円を描く波紋のように五重になって外側に広がり、もっとも外側の5日間かけて歩くパンチャ・クローシー巡礼路が知られる。この巡礼路にはインド中の神々を祀った108つの寺院や祠があって、5日間かけて歩くとインド中の聖域を巡礼したとみなされるのだという。

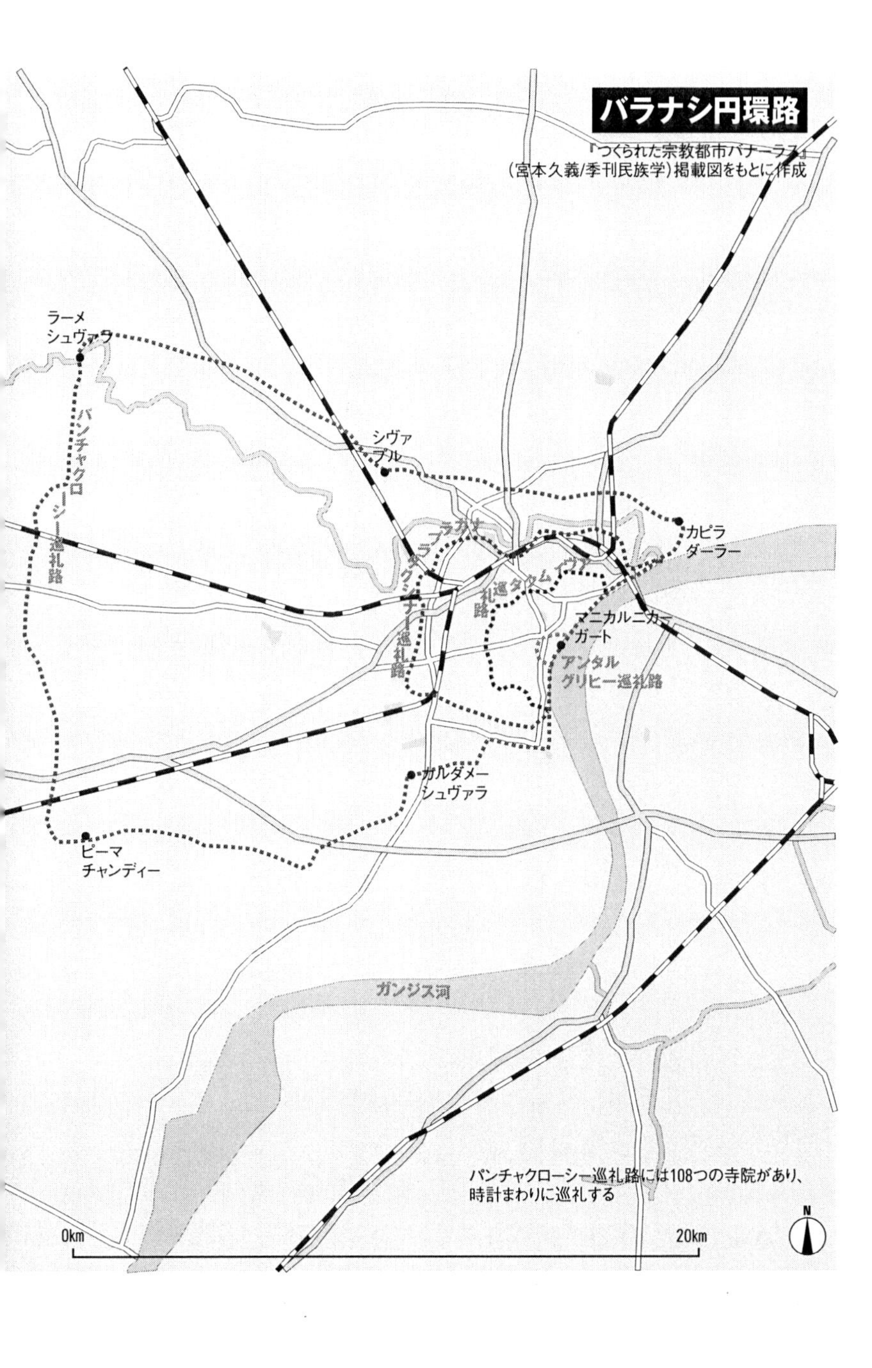
バラナシ円環路
『つくられた宗教都市バナーラス』
（宮本久義/季刊民族学）掲載図をもとに作成
ラーメ
シュヴァラ
パンチャクローシー巡礼路
シヴァ
プル
ナガラプラダクシナー巡礼路
アヴィムクタ巡礼路
カピラ
ダーラー
マニカルニカー
ガート
アンタル
グリヒー巡礼路
カルダメー
シュヴァラ
ピーマ
チャンディー
ガンジス河
パンチャクローシー巡礼路には108つの寺院があり、
時計まわりに巡礼する
N
0km
20km

ガートのにぎわい、ここがバラナシの中心

綿製品を売る店が軒をつらねる

ガンジス河のほとりで3000年のときを刻んできた

バラナシにはイスラム教徒も多く暮らす

Machi No Utsurikawari

城市のうつりかわり

ヴァラーナースィー、バナーラス、ベナレス
これらの呼称はこの街の変遷を物語っている
聖地をめぐる3000年の興亡

バラナシ古代の姿（紀元前10～前9世紀）

街の北を流れるワルナー川と南を流れるアッシー川のあいだに位置することからとられたバラナシという地名。アーリア人がインド西北からガンジス河中流域へ進出したのが紀元前1000年ごろで、バラナシはそのころから宗教聖地だったという。ガンジス河とワルナー川が合流する近くの台地からは、紀元前9世紀ごろの集落跡が確認されており、ここから南に街は発展していったと考えられる。

古代インドのカーシー国Kashi（紀元前6～前5世紀）

紀元前6～前5世紀ごろの北インドには16の大国があり、ヴァラーナスィーに都をおくカーシー国はそのひとつだった（カーシーとは「光り輝く」を意味する）。カーシーという名前はカーシー国がコーサラ国に滅ぼされたあとも、バラナシの古名として残り、「カーシャム・マラナム・ムクティ（カーシーで死ねば、解脱を得られる）」と言われる。バラモンが多く集まっていたカーシー国の都の郊外（サールナート）でブッダがはじめて説法を行なったことが注目される。

シヴァ神の聖地、ヴァラーナスィーVaranasi（4世紀〜12世紀）

諸王朝の庇護のもと、シヴァ信仰が優勢になり、5世紀にヴィシュヴェーシュヴァラ寺院（ヴィシュヴァナート寺院の原型）が建てられ、バラナシの地位は不動のものになった。4〜6世紀ごろのグプタ朝、7世紀のハルシャバルダナ王以後12世紀まで、北インドでは小勢力が割拠していたが、バラナシを中心としたヒンドゥー信仰はさかんになった。

イスラムの侵入とバナーラスBanaras（12〜18世紀）

10世紀のガズニ朝以来、イスラム教徒が本格的にインドに侵入し、続くゴール朝はガンジス河中流域にも進出した。聖地バラナシはイスラムの標的となり、1194年、ヴィシュヴェーシュヴァラ寺院が破壊された。以来、18世紀までバラナシはイスラム勢力の統治下となり、支配者のウルドゥー語で「バナーラス」と呼ばれるようになった。ムガル帝国第6代アウラングゼーブ帝はバラナシのヒンドゥー寺院をとり壊し、その場所にモスクを建てたためにヒンドゥー教徒の反感を買った。この時代、イスラム教に改宗する人、チャイタニヤやトゥルシーダースといったヒンドゥー聖者、詩人がこの街で生まれた。

バラナシ藩王国時代（18、20世紀）

ムガル帝国第6代アウラングゼーブ帝の死後、帝国は大きくゆらぎ、各地方の勢力が独立するようになった。バラナシでは、1725年にこの地方の有力者マナサラムがムガル皇帝より徴税権をあたえられ、実質的にバラナシの支配者となった。マナサラムの息子バルワント・シンは1738年にバラナシ藩王国を樹立し、今も残るラムナガル・フォートが造営された。藩王国はその後、1794年にコルカタから進出してきたイギリスの支配下に入ったが、20世紀になってから再び地元の有力者ナラヤン・シンに領主権があたえられ、その子孫はマハラジャとして人びとに慕われるようになった。

イギリス統治とベナレスBenares（18世紀〜20世紀）

ムガル帝国の弱体にともなってデカン高原のマラータ同盟（ヒンドゥー教徒）が台頭し、18世紀以降、聖地バラナシの寺院やガートの多くが再建された。一方、コルカタを拠点としたイギリス東インド会社がベンガル地方の徴税権を得て、インドに割拠する勢力のひとつとなっていた。1794年、バラナシは東インド会社に併合され、川や湖の埋め立て、道路や公園の整備が進められた（北側のカントメント）。また「衛生的でない（伝染病のもととなる）」という理由から、ガンジス河畔の火葬場が閉鎖されようとしたが、人びとの反対を受け、その信仰を認めざるをえなかった（イギリス人はインドの統治にあたって『マヌ法典』を参考にしている）。この時代、「バナーラス」はイギリス人に「ベナレス」と英語風に呼ばれたため、この呼称が日本にも入って定着した。

そして現在、ヴァラーナスィーVaranasi（20世紀〜）

3000年続くヒンドゥー教の聖地、また500年にわたってイスラム勢力の支配を受けたバラナシ。そのあいだこの街はカーシー、バナーラス、ベナレスなどさまざまな名前で呼ばれてきたが、現在はサンスクリット語の「ヴァラーナスィー（バラナシ）」が用いられている。ひとつの街が聖地としてこれほど長いあいだ持続した例は世界でもほとんど見られず、「バラナシは歴史より古く、伝統より古く、伝説よりも古い」（マーク・トウェイン）と語られている。

参考文献

『インドの伝統的都市における都市構造の形成と居住空間の変容に関する研究』(柳沢究/京都大学学術情報リポジトリ)
『ガンジスの聖地』(中村元・肥塚隆/講談社)
『NHKアジア古都物語 ベナレス』(NHK取材班/NHK出版)
『都市の顔・インドの旅』(坂田貞二/春秋社)
『ヒンドゥー聖地思索の旅』(宮本久義/山川出版社)
『北インド』(辛島昇・坂田貞二/山川出版社)
『アジア読本インド』(小西正捷/河出書房新社)
『シヴァと女神たち』(立川武蔵/山川出版社)
『南アジアを知る事典』(平凡社)
『ヴァラナシィのガートにみる信仰』(宮崎智絵/二松学舎大学論集)
『インド集落の変貌』(米倉二郎/古今書院)
『フレッチャー図説世界建築の歴史大事典』(フレッチャー・ダン・クリュックシャンク・飯田喜四郎監訳/西村書店東京出版編集部)
『世界大百科事典』(平凡社)
『日本大百科全書(ニッポニカ)』(小学館)
Uttar Pradesh Tourism http://www.uptourism.gov.in/
District Varanasi, Government of Uttar Pradesh https://varanasi.nic.in/
Times of India: News - https://timesofindia.indiatimes.com/
PM Modi in Varanasi: What is the legacy of Kaal Bhairav, the Kotwal of Kashi (India Today Web Desk)
This church of unknown years stands tall in Godowlia (Chandra,Swati/The Times of India)
The Town Hall [Benares]. - The British Library https://www.bl.uk/
Alamgir Mosque – Lost Vishnu Temple Of Varanasi (Varanasi Guru)
eRail.in https://erail.in/
Official wbsite of Kabir Chaura Varanasi http://www.kabirchaura.com/
the Official Web Portal of Pawan Path https://pawanpathvaranasi.in/
छावनी परिषद - वाराणसी https://www.cbvaranasi.org.in/
Diocese Of Varanasi http://www.dioceseofvaranasi.org.in/
OpenStreetMap
(C)OpenStreetMap contributors

まちごとパブリッシングの旅行ガイド

Machigoto INDIA , Machigoto ASIA , Machigoto CHINA

北インド-まちごとインド

001 はじめての北インド
002 はじめてのデリー
003 オールド・デリー
004 ニュー・デリー
005 南デリー
012 アーグラ
013 ファテープル・シークリー
014 バラナシ
015 サールナート
022 カージュラホ
032 アムリトサル

西インド-まちごとインド

001 はじめてのラジャスタン
002 ジャイプル
003 ジョードプル
004 ジャイサルメール
005 ウダイプル
006 アジメール（プシュカル）
007 ビカネール
008 シェカワティ
011 はじめてのマハラシュトラ
012 ムンバイ
013 プネー
014 アウランガバード
015 エローラ
016 アジャンタ
021 はじめてのグジャラート
022 アーメダバード
023 ヴァドダラー（チャンパネール）
024 ブジ（カッチ地方）

東インド-まちごとインド

002 コルカタ
012 ブッダガヤ

南インド-まちごとインド

001 はじめてのタミルナードゥ
002 チェンナイ
003 カーンチプラム
004 マハーバリプラム
005 タンジャヴール
006 クンバコナムとカーヴェリー・デルタ
007 ティルチラパッリ
008 マドゥライ
009 ラーメシュワラム
010 カニャークマリ
021 はじめてのケーララ
022 ティルヴァナンタプラム
023 バックウォーター（コッラム～アラップーザ）

ネパール-まちごとアジア

バングラデシュ-まちごとアジア

パキスタン-まちごとアジア

イラン-まちごとアジア

北京-まちごとチャイナ

天津-まちごとチャイナ

001　はじめての天津
002　天津市街
003　浜海新区と市街南部
004　薊県と清東陵

上海-まちごとチャイナ

001　はじめての上海
002　浦東新区
003　外灘と南京東路
004　淮海路と市街西部
005　虹口と市街北部
006　上海郊外(龍華・七宝・松江・嘉定)
007　水郷地帯(朱家角・周荘・同里・甪直)

河北省-まちごとチャイナ

001　はじめての河北省
002　石家荘
003　秦皇島
004　承徳
005　張家口
006　保定
007　邯鄲

江蘇省-まちごとチャイナ

001　はじめての江蘇省
002　はじめての蘇州
003　蘇州旧城
004　蘇州郊外と開発区
005　無錫
006　揚州
007　鎮江
008　はじめての南京
009　南京旧城
010　南京紫金山と下関
011　雨花台と南京郊外・開発区
012　徐州

浙江省-まちごとチャイナ

001　はじめての浙江省
002　はじめての杭州
003　西湖と山林杭州
004　杭州旧城と開発区
005　紹興
006　はじめての寧波
007　寧波旧城
008　寧波郊外と開発区
009　普陀山
010　天台山
011　温州

福建省-まちごとチャイナ

001　はじめての福建省
002　はじめての福州
003　福州旧城
004　福州郊外と開発区
005　武夷山

006　泉州

007　厦門

008　客家土楼

広東省-まちごとチャイナ

001　はじめての広東省

002　はじめての広州

003　広州古城

004　天河と広州郊外

005　深圳（深セン）

006　東莞

007　開平（江門）

008　韶関

009　はじめての潮汕

010　潮州

011　汕頭

遼寧省-まちごとチャイナ

001　はじめての遼寧省

002　はじめての大連

003　大連市街

004　旅順

005　金州新区

006　はじめての瀋陽

007　瀋陽故宮と旧市街

008　瀋陽駅と市街地

009　北陵と瀋陽郊外

010　撫順

重慶-まちごとチャイナ

001　はじめての重慶

002　重慶市街

003　三峡下り（重慶～宜昌）

004　大足

005　重慶郊外と開発区

四川省-まちごとチャイナ

001　はじめての四川省

002　はじめての成都

003　成都旧城

004　成都周縁部

005　青城山と都江堰

006　楽山

007　峨眉山

008　九寨溝

香港-まちごとチャイナ

001　はじめての香港

002　中環と香港島北岸

003　上環と香港島南岸

004　尖沙咀と九龍市街

005　九龍城と九龍郊外

006　新界

007　ランタオ島と島嶼部

マカオ-まちごとチャイナ

001　はじめてのマカオ
002　セナド広場とマカオ中心部
003　媽閣廟とマカオ半島南部
004　東望洋山とマカオ半島北部
005　新口岸とタイパ・コロアン

Juo-Mujin(電子書籍のみ)

Juo-Mujin香港縦横無尽
Juo-Mujin北京縦横無尽
Juo-Mujin上海縦横無尽
Juo-Mujin台北縦横無尽
見せよう! 上海で中国語
見せよう! 蘇州で中国語
見せよう! 杭州で中国語
見せよう! デリーでヒンディー語
見せよう! タージマハルでヒンディー語
見せよう! 砂漠のラジャスタンでヒンディー語

自力旅游中国Tabisuru CHINA

001　バスに揺られて「自力で長城」
002　バスに揺られて「自力で石家荘」
003　バスに揺られて「自力で承徳」
004　船に揺られて「自力で普陀山」
005　バスに揺られて「自力で天台山」
006　バスに揺られて「自力で秦皇島」
007　バスに揺られて「自力で張家口」
008　バスに揺られて「自力で邯鄲」
009　バスに揺られて「自力で保定」
010　バスに揺られて「自力で清東陵」
011　バスに揺られて「自力で潮州」
012　バスに揺られて「自力で汕頭」
013　バスに揺られて「自力で温州」
014　バスに揺られて「自力で福州」
015　メトロに揺られて「自力で深圳」

旅のインド文字

英語
ヒンディー語
ウルドゥー語

英語 ＝ アルファベット
ヒンディー語 ＝ デーヴァナーガリー文字
ウルドゥー語 ＝ ウルドゥー文字

バラナシ
Varanasi

वाराणसी
وارانسی

ガンジス河
Ganges

गंगा
دریائے گنگا

ガート
Ghat

घाट
گھاٹ

ガンジス河に臨む寺院（宮殿）
Mandir

मंदिर
مندر

ヴィシュワナート（バラナシの中心）
Vishwanath

विश्वनाथ
وشوناتھ

ゴードリヤー
Godowlia

गोदौलिया
گوڈولیا

ダシャーシュワメーダ・ロード
Dasashwamedh Road

दशाश्वमेध रोड
دشاشومیدھ روڈ

ダシャーシュワメード・ガート
Dashashwamedh Ghat

दशाश्वमेध घाट
دشاشومیدھ گھاٹ

アヒリヤ・バーイー・ガート
Ahilyabai Ghat

अहिल्याबाई घाट
اہلیبائی گھاٹ

ハーヴェリー
Haveli

हवेली
حویلی

マンマンディル・ガート（ジャンタル・マンタル）
Manmandir Ghat

मान मंदिर घाट
مان مندر گھاٹ

チャウサート・ヨギニ寺院
Chausath Yogini Mandir

चौसठ योगिनी मंदिर
چوساٹھ یوگنی مندر

ベンガリー・トラ
Bangali Tola

बंगाली टोला
بنگالی تولع

ビシュワナート・ガリ
Vishwanath Gali

विश्वनाथ गली
وشوناتھ گلی

ヴィシュヴァナート寺院
Vishwanath Mandir

विश्वनाथ मंदिर
وشوناتھ مندر

ギャーンヴァーピー（智慧の泉）
Gyanvapi

ज्ञानवापी
حکمت کا چشمہ

アンナプルナ寺院
Annapuruna Mandir

अन्नपूर्णा मंदिर
انناپورنا مندر

ギャーンヴァーピー・マスジッド
Gyanvapi Masjid

ज्ञानवापी मस्जिद
گیان واپی مسجد

マニカルニカー・ガート
Manikarnika Ghat

मणिकर्णिका घाट
منیکرنیکا گھاٹ

マニカルニカー・クンド
Manikarnika Kund

मणिकर्णिका कुंड
مانیکرنیکا کنڈ

ネパール寺院（ラリタ・ガート）
Nepali Mandir

नेपाली मंदिर
نیپالی مند

ケダレシュヴァラ
Kedareshvara

केदारेश्वर
کیدرشور

ケダル・ガート
Kedar Ghat

केदार घाट

کیدار گھاٹ

ケダレシュヴァラ寺院
Kedareshvara Mandir

केदारेश्वर मंदिर

کیدرشور مندر

ハリシュチャンドラ・ガート
Harishchandra Ghat

हरिश्चंद्र घाट

ہریش چندر گھاٹ

ハヌマン・ガート
Hanuman Ghat

हनुमान घाट

ہنومان گھاٹ

チェートシン・ガート
Chet Singh Ghat

चेत सिंघ घाट

چیت سنگھ گھاٹ

ジャイン・ガート
Jain Ghat

जैन घाट

جین گھاٹ

パールシュヴァナート・ジャイナ教寺院
Parshvanath Jain Mandir

पार्श्वनाथ जैन मंदिर

پارشوناتھ جین مندر

トゥルシー・ガート
Tulsi Ghat

तुलसी घाट

تلسی گھاٹ

アッシー・ガート
Assi Ghat

अस्सी घाट
اسی گھاٹ

ドゥルガー寺院
Durga Mandir

दुर्गा मंदिर
درگا مندر

トゥルシーマーナス寺院
Tulsi Manas Mandir

तुलसी मानस मंदिर
تلسی مانس مندر

サンカト・モーチャン寺院
Sankat Mochan Mandir

संकट मोचन हनुमान मंदिर
سنکٹ موچن ہنومان مندر

オームカレシュヴァラ
Omkareshwar

ओंकारेश्वर
اومکیشور

パンチガンガー・ガート
Panchganga Ghat

पंचगंगा घाट
پانچ گنگا گھاٹ

アラムギル・マスジッド
Alamgir Masjid

औरंगजेब मस्जिद
اورنگزیب مسجد

ビンドゥ・マーダヴァ寺院
Bindu Madhav Mandir

बिंदुमाधव मंदिर
بندو مادھو مندر

シンディア・ガート
Scindia Ghat

सिंधिया घाट
سندھیا گھاٹ

サンカータマタ寺院
Sankahtha Mata Mandir

संकटा माता मंदिर
سنکاتا ماتا مندر

ラール・カーンの墓
Tomb of Lal Khan

लाल खान का मकबरा
لال خان کا مقبرہ

アディ・ケーシャヴァ・ガート
Adi Keshava Ghat

आदि केशव घाट
اڈی کیشوا گھاٹ

ワルナー・サンガム
Varuna Sangam

वरुण संगमं
ورونا سنگم

ラージガート
Raj Ghat

राज घाट
راج گھاٹ

イスラム教徒居住区
Muslim Area

मुस्लिम क्षेत्र
مسلم علاقے

チョウク
Chowk

चौक
چوک

ビジェスバル・ガンジ
Visheshvar Ganj

विशेश्वरगंज

وشیشور گنج

タウン・ホール
Town Hall

टाउन हॉल

ٹاون ہال

カーラ・バイラブ寺院
Kaal Bhairava Mandir

काल भैरव मंदिर

کال بھیرو مندر

ムルティウンジャイ・マハーデヴ寺院
Mrityunjay Mahadev Mandir

मृत्युंजय महादेव मंदिर

مرتیونجے مہادیو مندر

聖トーマス教会
St.Thomas Church

सेंट थॉमस चर्च

سینٹ تھامس چرچ

カントンメント
Cantonment

कन्टोनमेंट

کنٹینمنٹ

ナイ・サラク
Nai Sarak

नई सरक

نئی سڑک

バラナシ駅
Varanasi Junction Railway Station (Varanasi R.S.)

वाराणसी जंक्शन रेलवे स्टेशन

وارانسی جنکشن ریلوے
اسٹیشن

グランド・トランク・ロード
Grand Trunk Road

ग्रैंड ट्रंक रोड
گرینڈ ٹرنک روڈ

セント・メアリーズ大聖堂
St. Mary's Cathedral

सेंट मेरीज़ कैथेड्रल
سینٹ میری کیتیڈرل

バラート・マータ寺院
Bharat Mata Mandir

भारत माता मंदिर
بھارت ماتا مندر

カビール寺院
Kabir Sahib Mandir (Kabir Math)

कबीर साहिब मंदिर
کبیر صاحب مندر

バナーラス・ヒンドゥー大学
Banaras Hindu University

काशी हिन्दू विश्वविद्यालय
کاشی ہندو یونیورسٹی

新ヴィシュワナート寺院
New Vishwanath Mandir

नया विश्वनाथ मंदिर
نیا وشوناتھ مندر

バーラト・カーラ・バワン博物館
Bharat Kala Bhavan Museum

भारत कला भवन संग्रहालय
بھارت کالا بھون میوزیم

ガンジス河の対岸
Opposite Bank

विपरीत किनारे
گنگا کے دائیں کنارے

ラムナガル・フォート

Ramnagar Fort

रामनगर किला

رام نگر قلعہ

パンチャ・クローシー巡礼路

Pancha Kroshi

पंच कोशी

پنچا کروشی

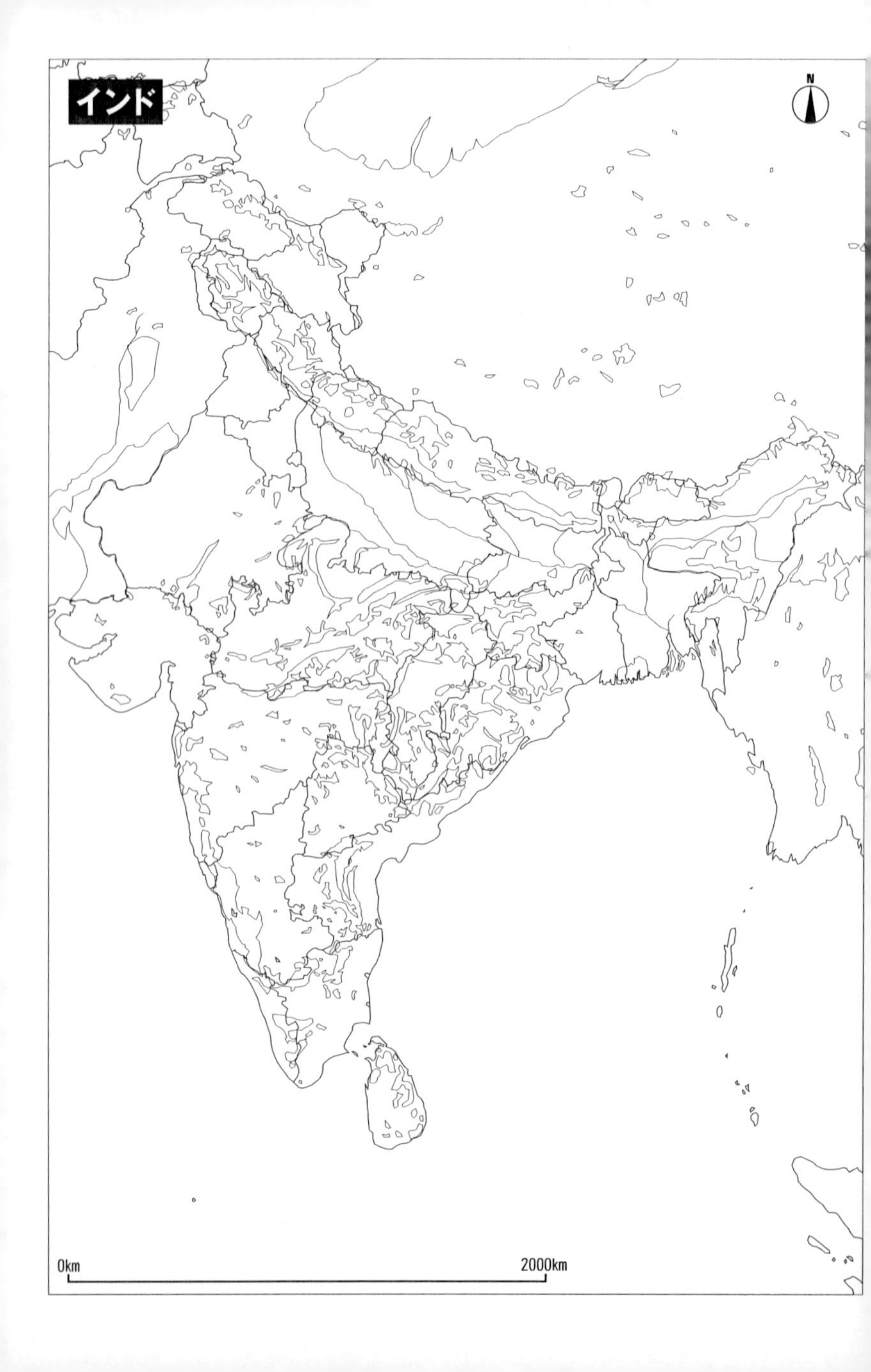
インド
N
0km
2000km

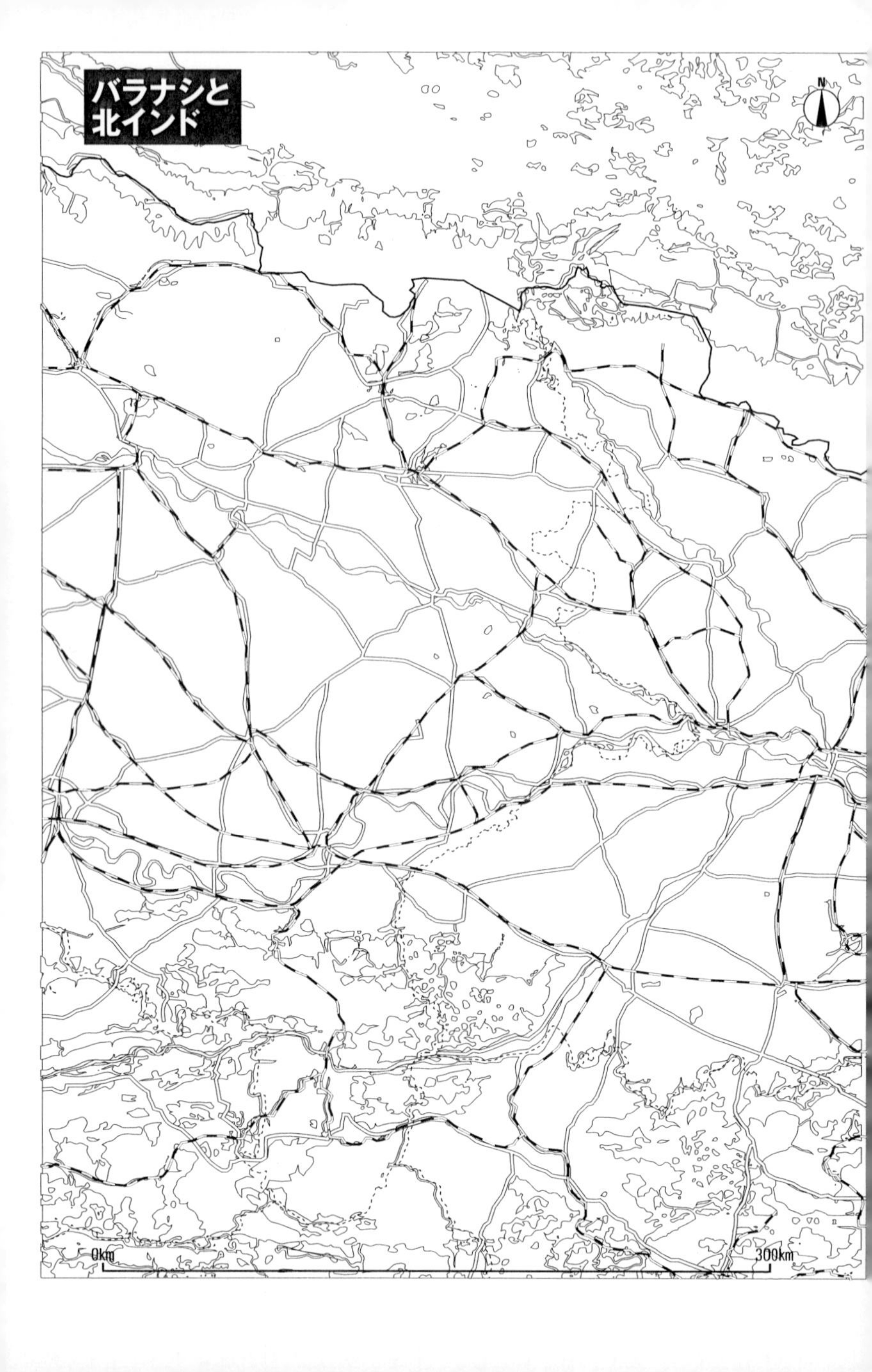

バラナシと
北インド
N
0km
300km

バラナシ
N
0km
5km

バラナシ旧市街
(ガンジス河)
N
0km
2km

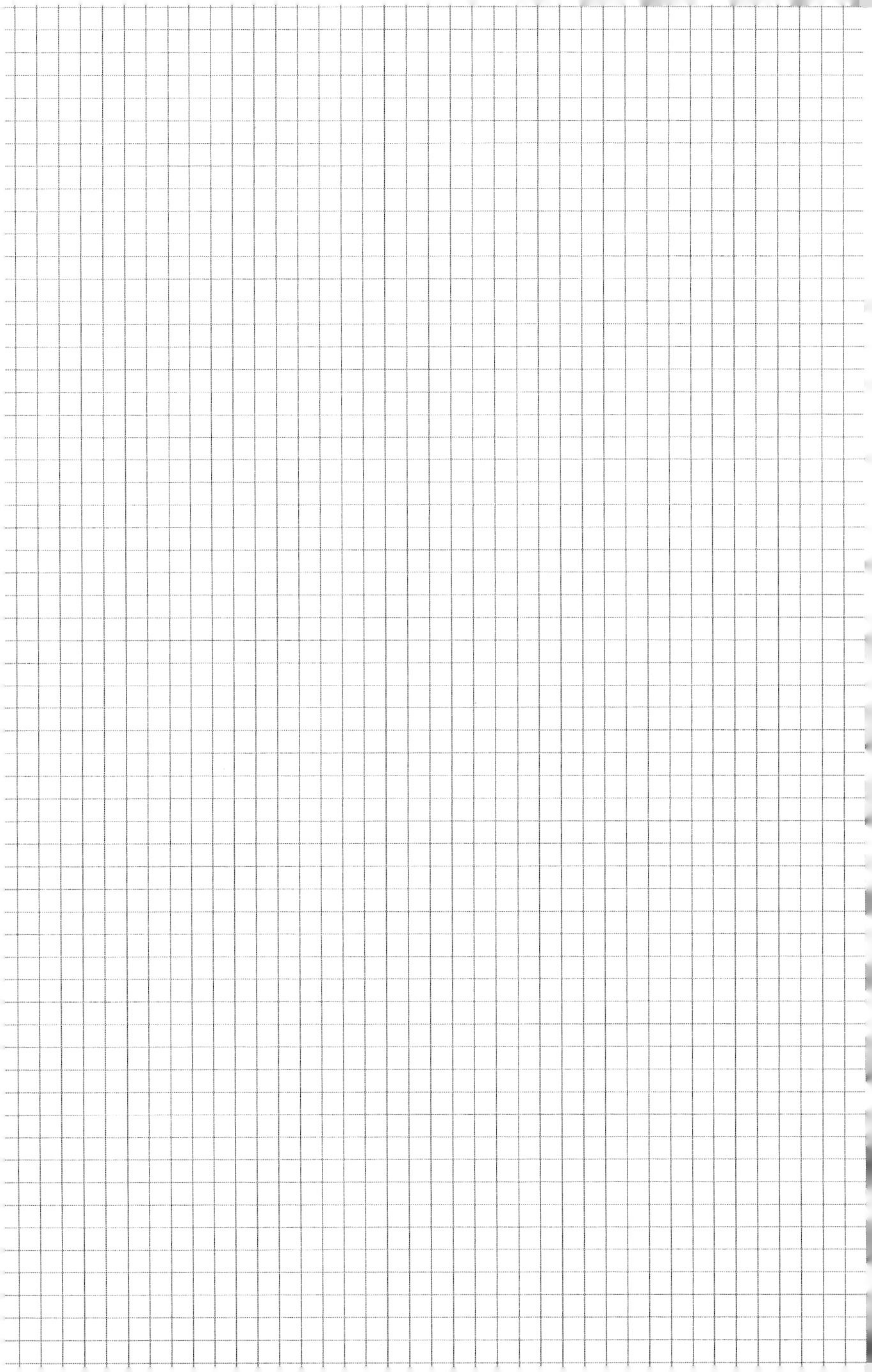

ダシャーシュワメードガート
0m
300m
N

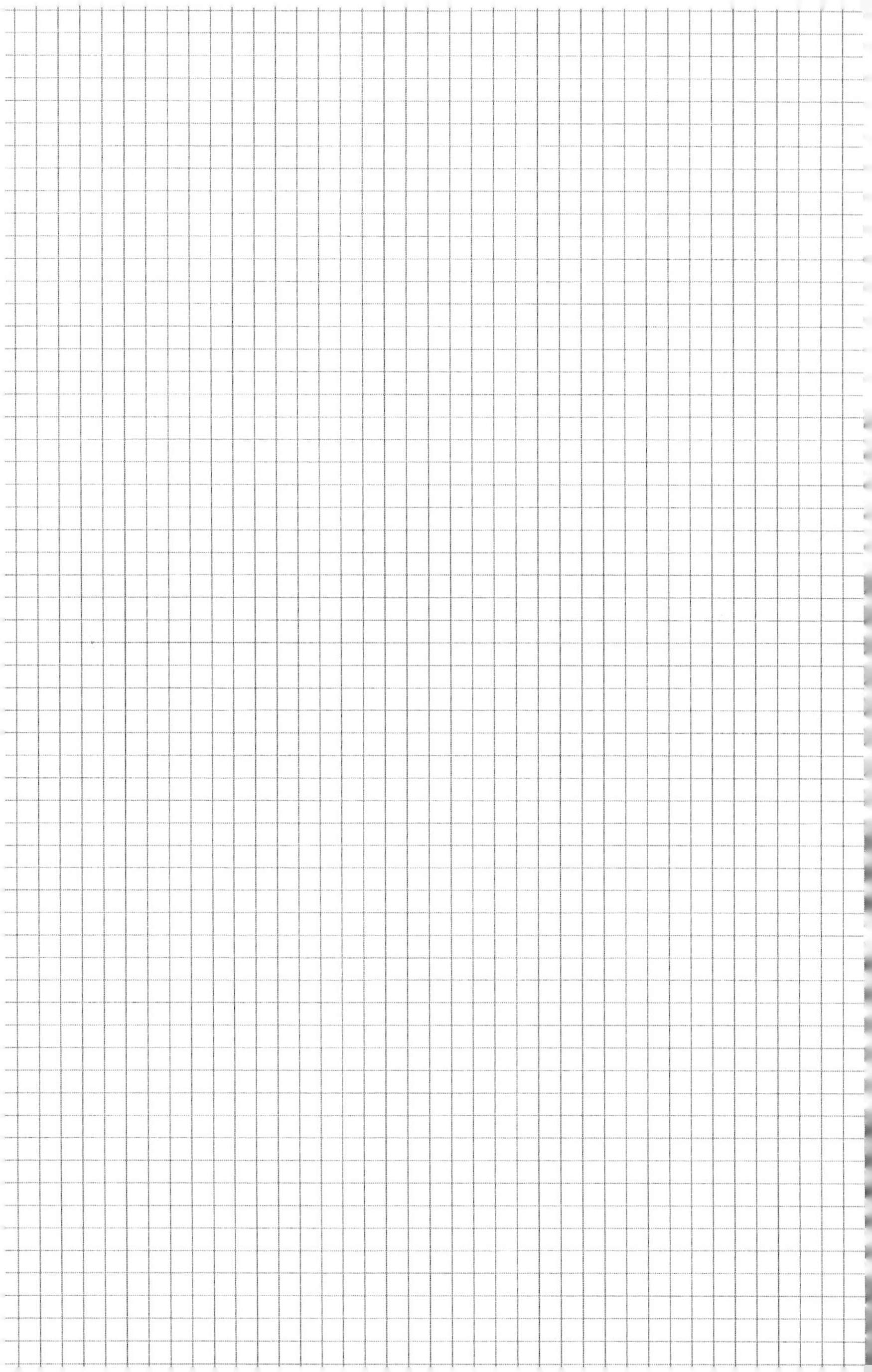

ダシャーシュワメードガート拡大
N
0m
200m

マニカルニカーガート
N
0m
500m

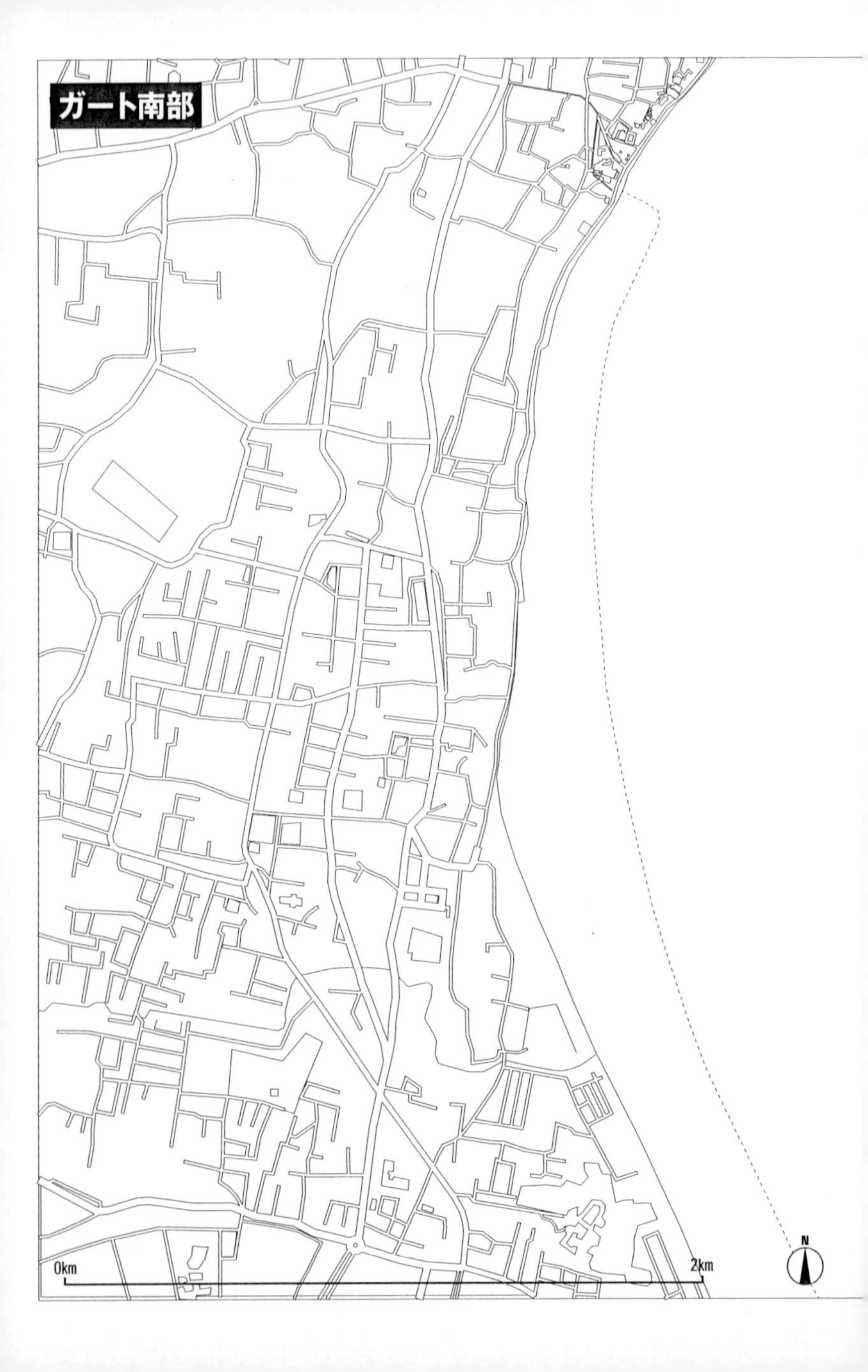
ガート南部
0km
2km
N

ケダレシュヴァラ
N
0km
1km

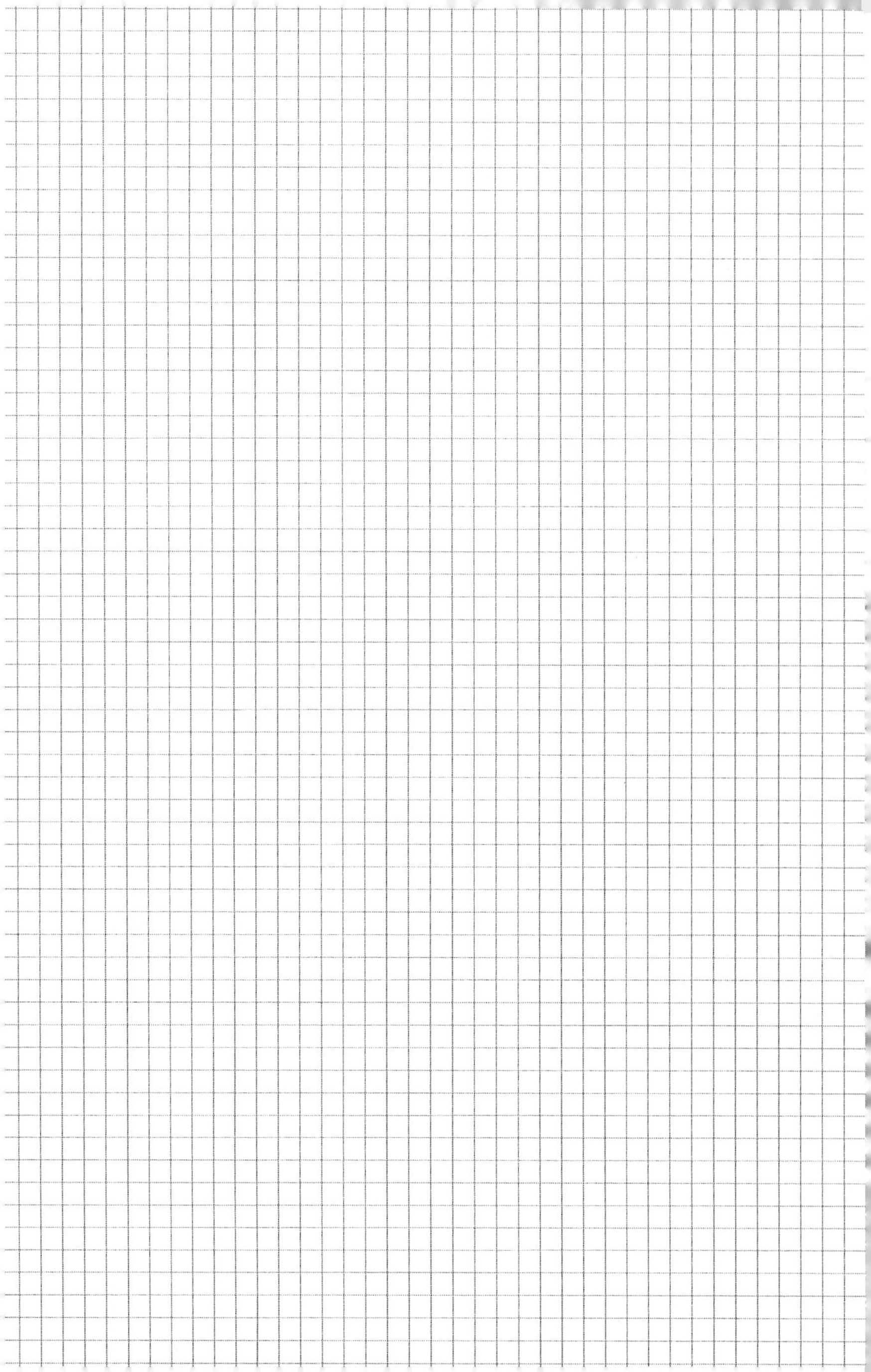

アッシーガート
0km
1km
N

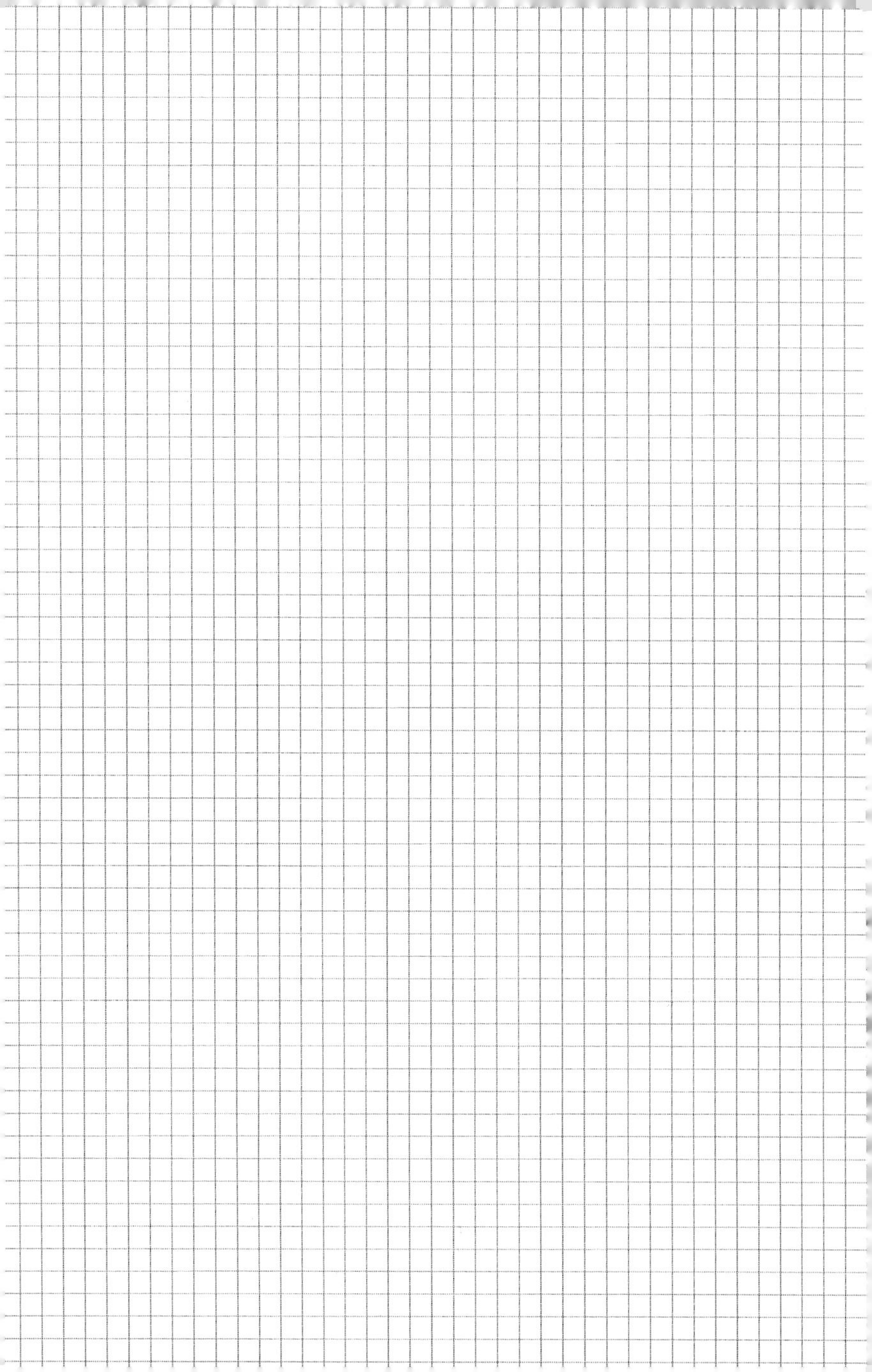

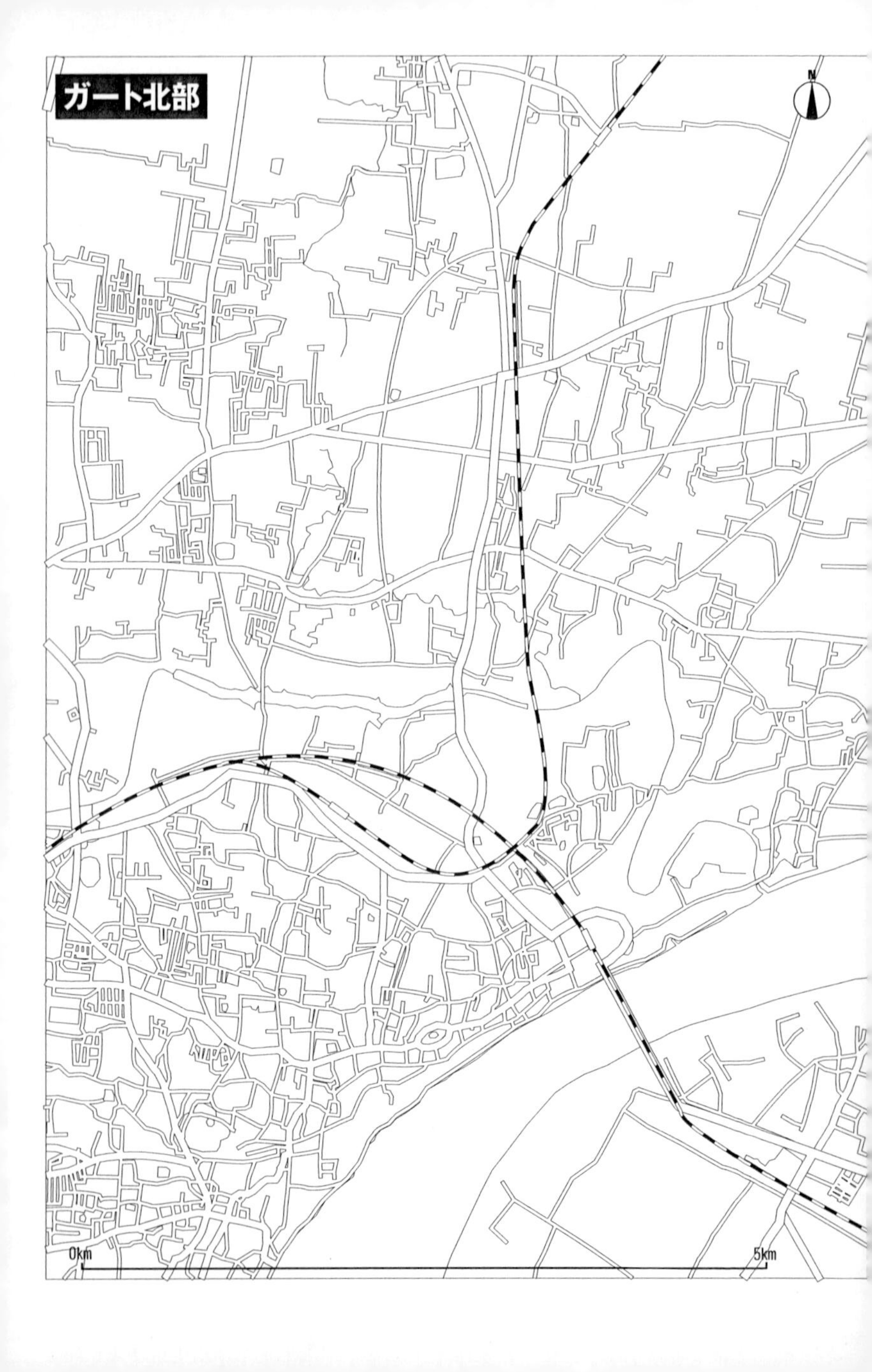
ガート北部
N
0km
5km

パンチガンガーガート
0km
1km

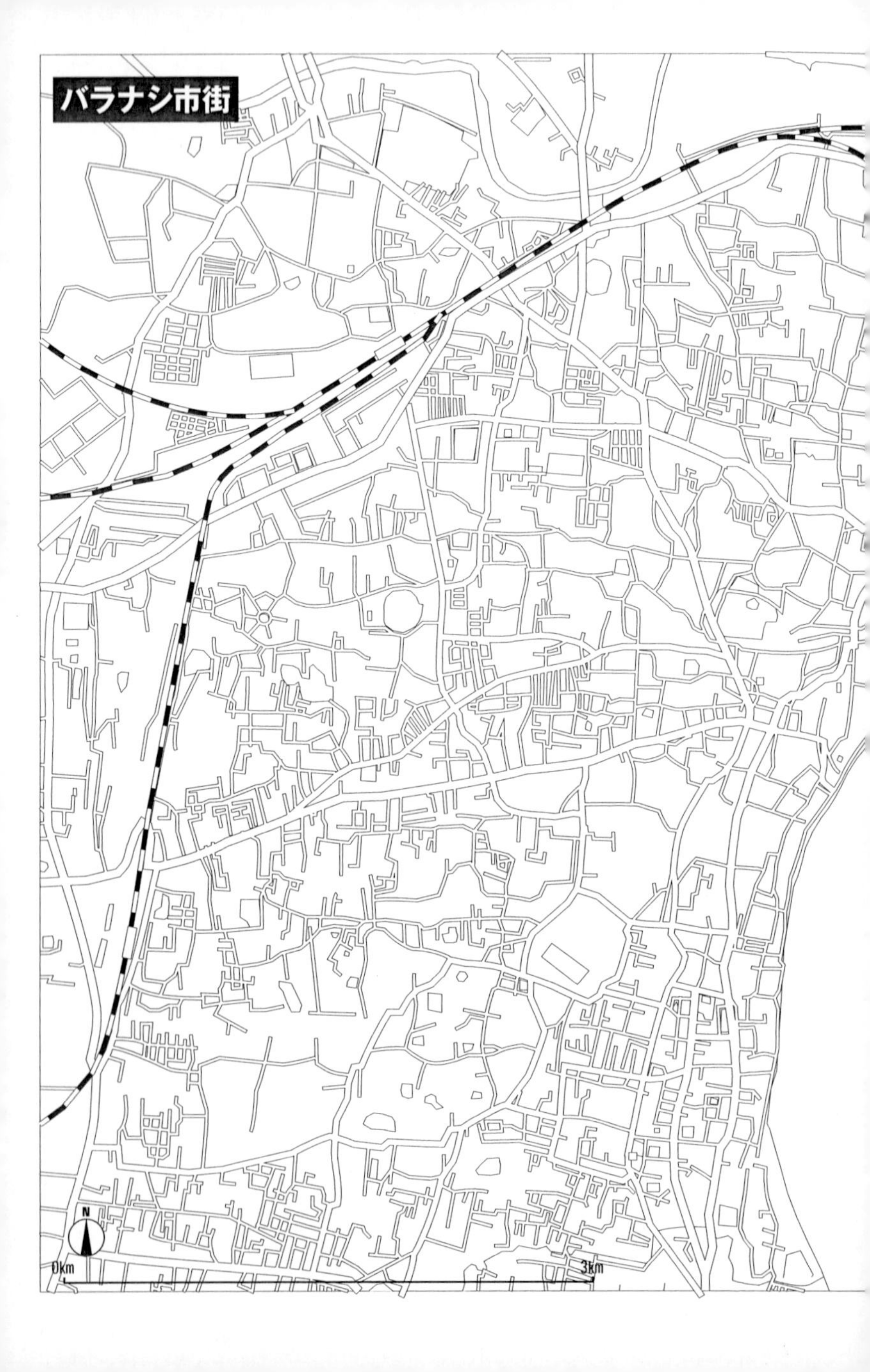

バラナシ市街
N
0km
3km

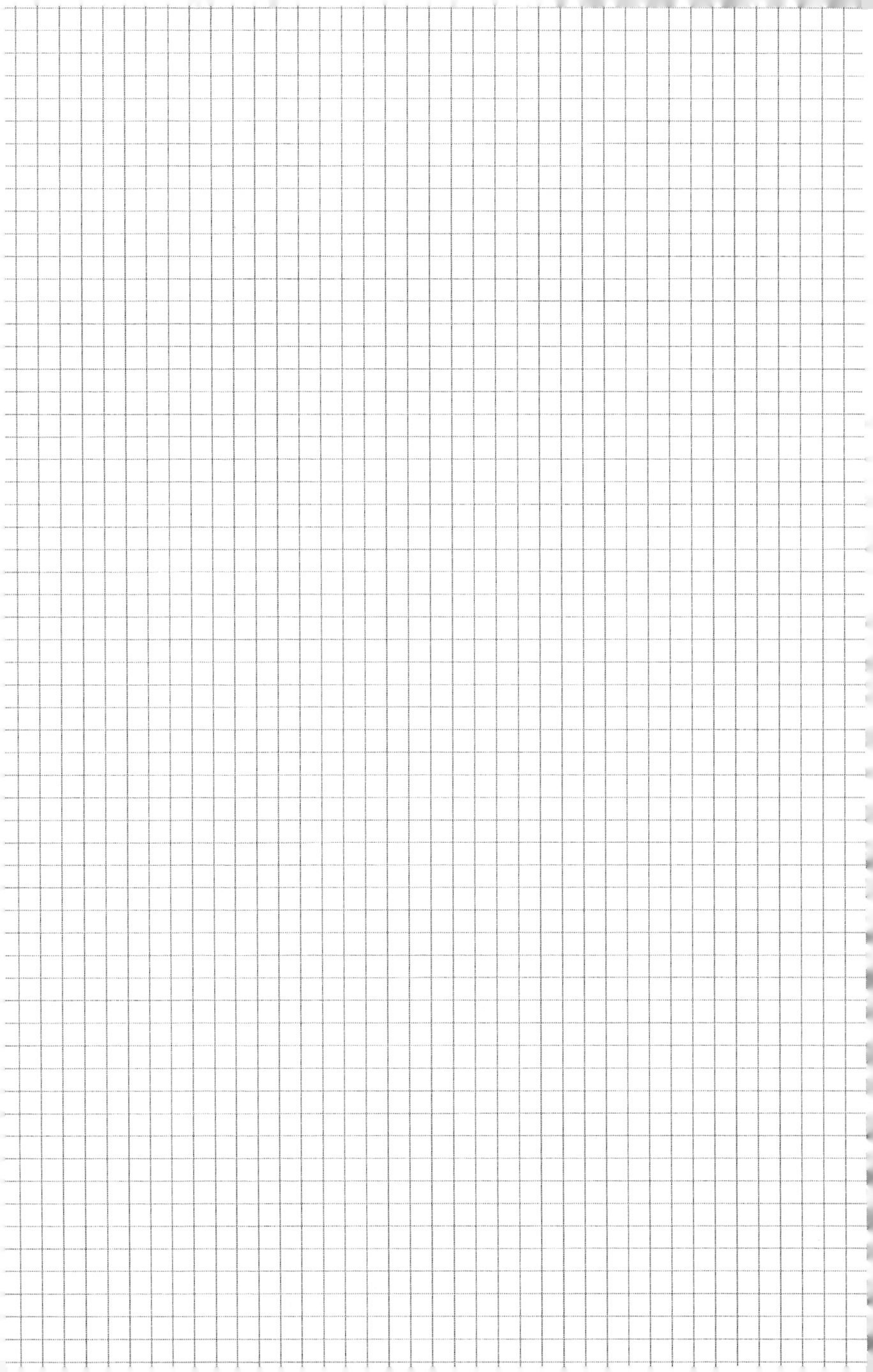

チョウク
0km
1km
N

バラナシ
新市街
N
0km
2km

バラナシ駅
N
0m
500m

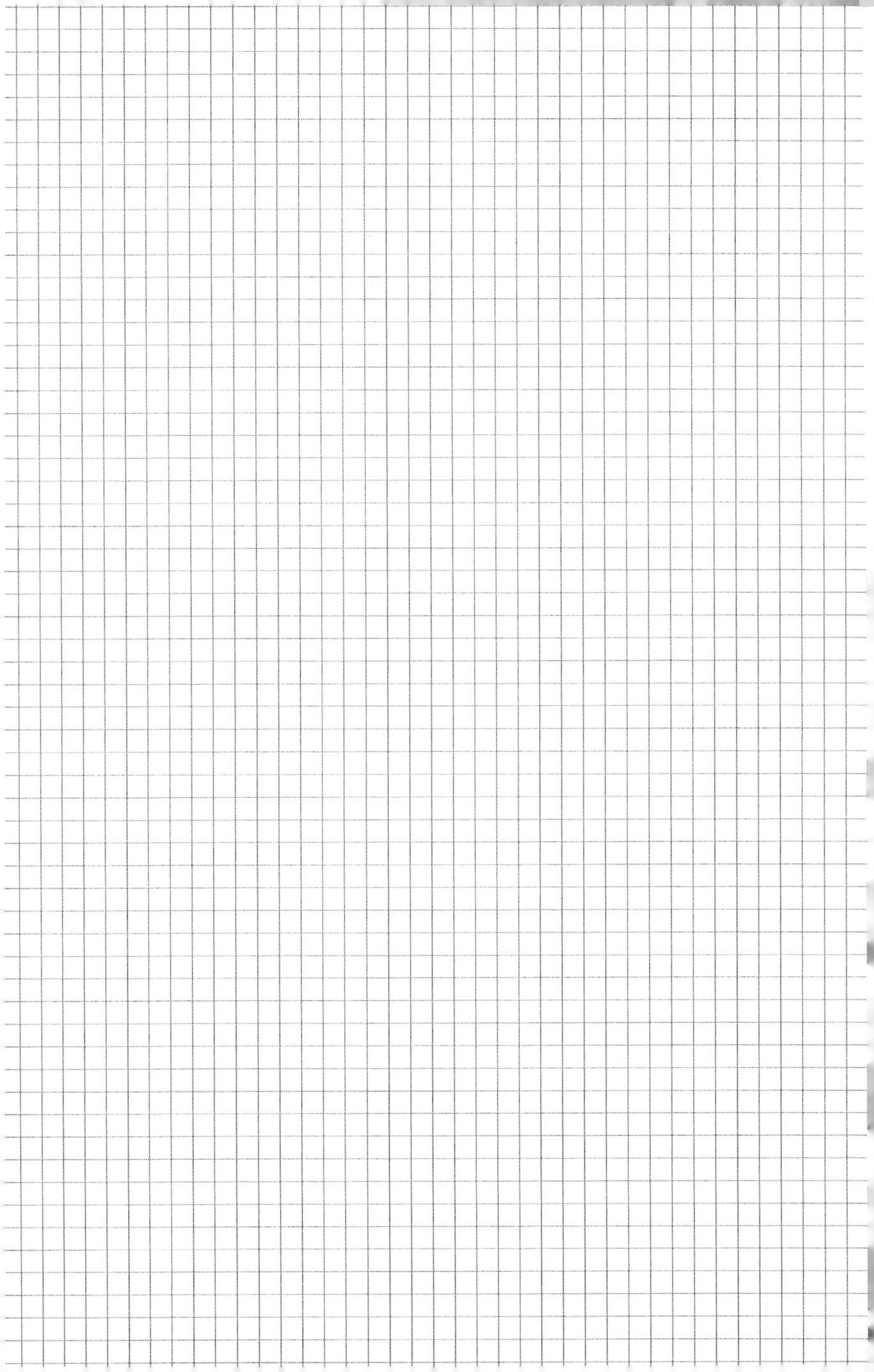

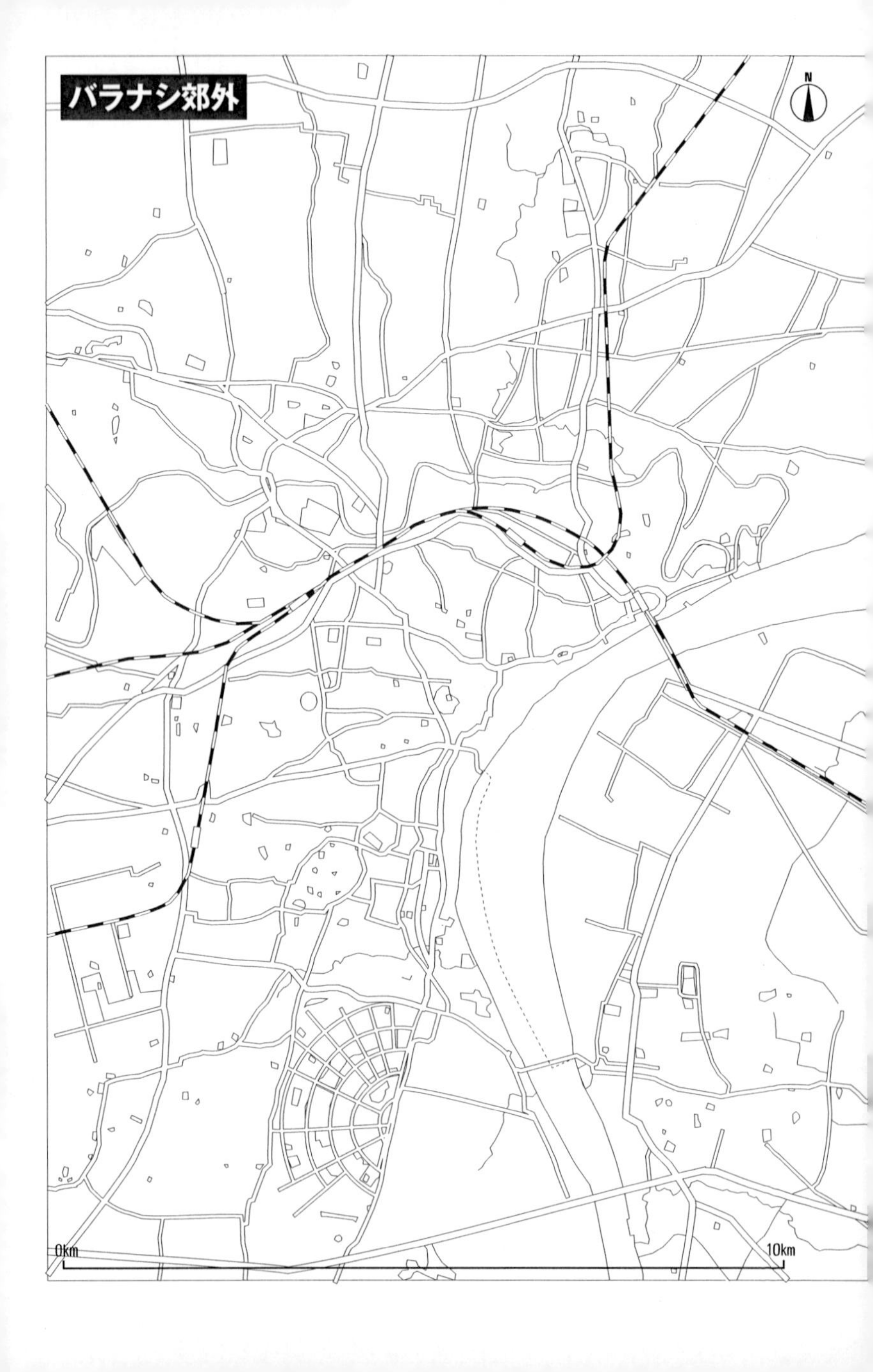

バラナシ郊外
N
0km
10km

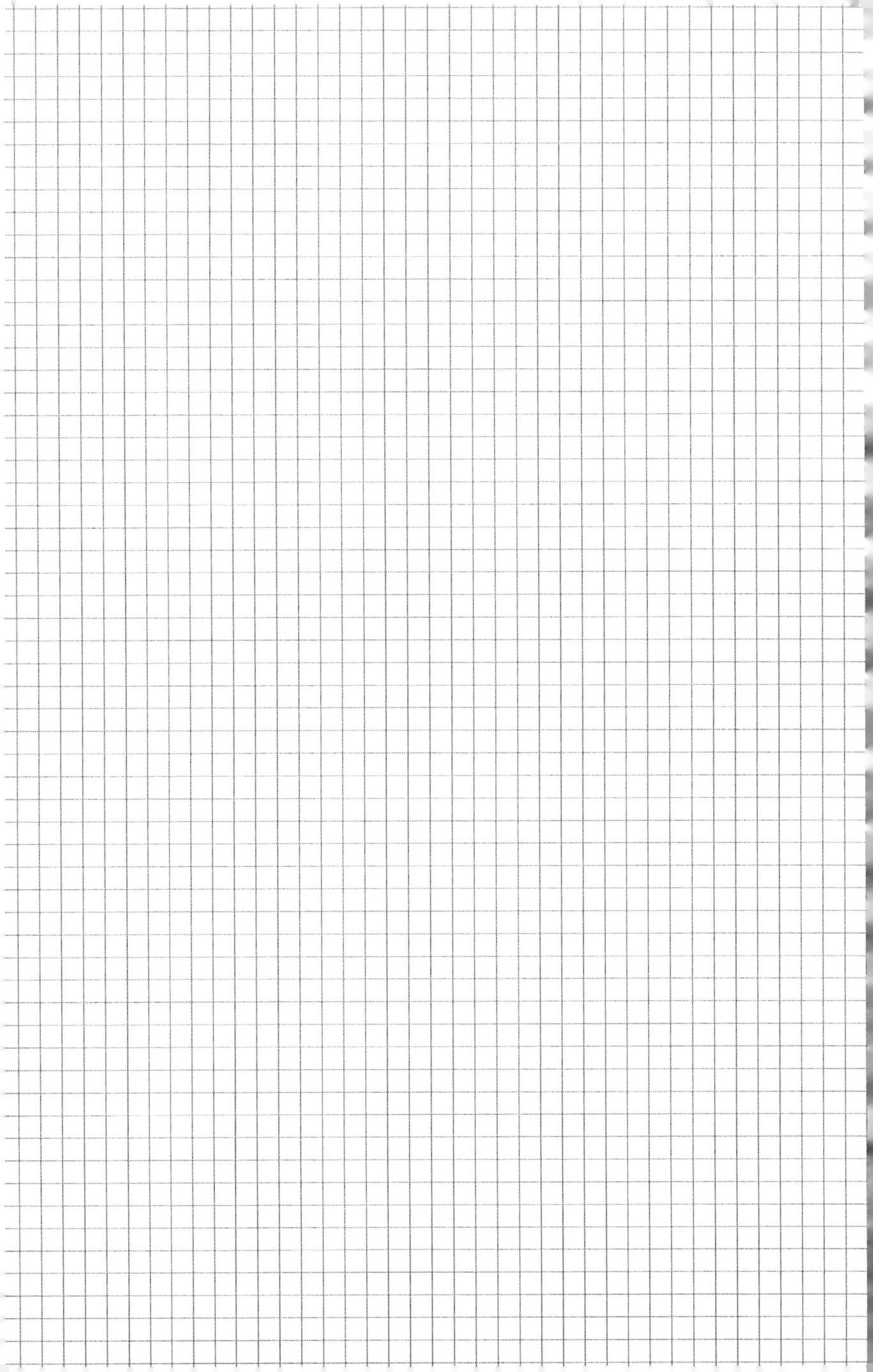

バナーラス
ヒンドゥー大学
N
0km
2km

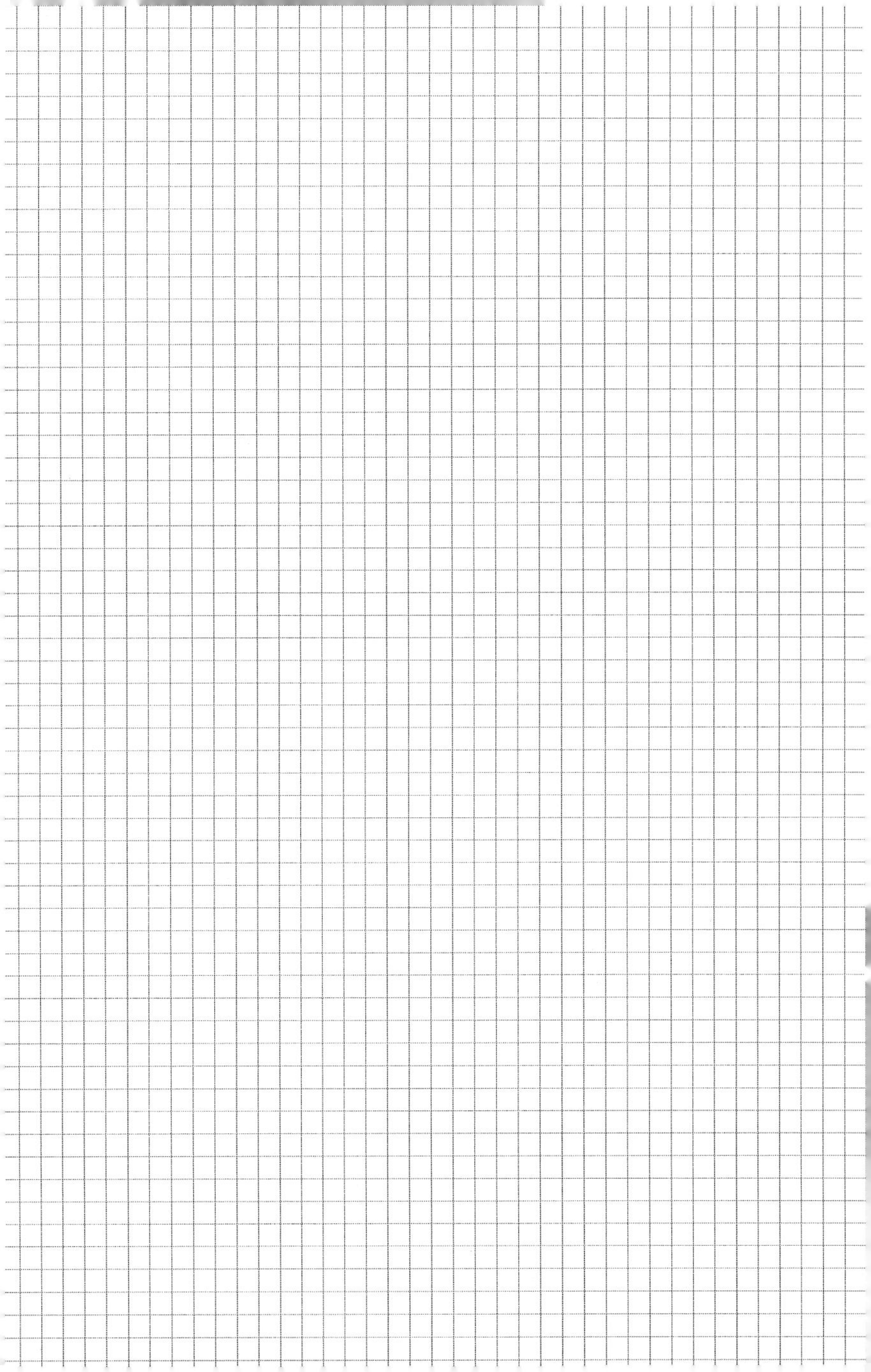

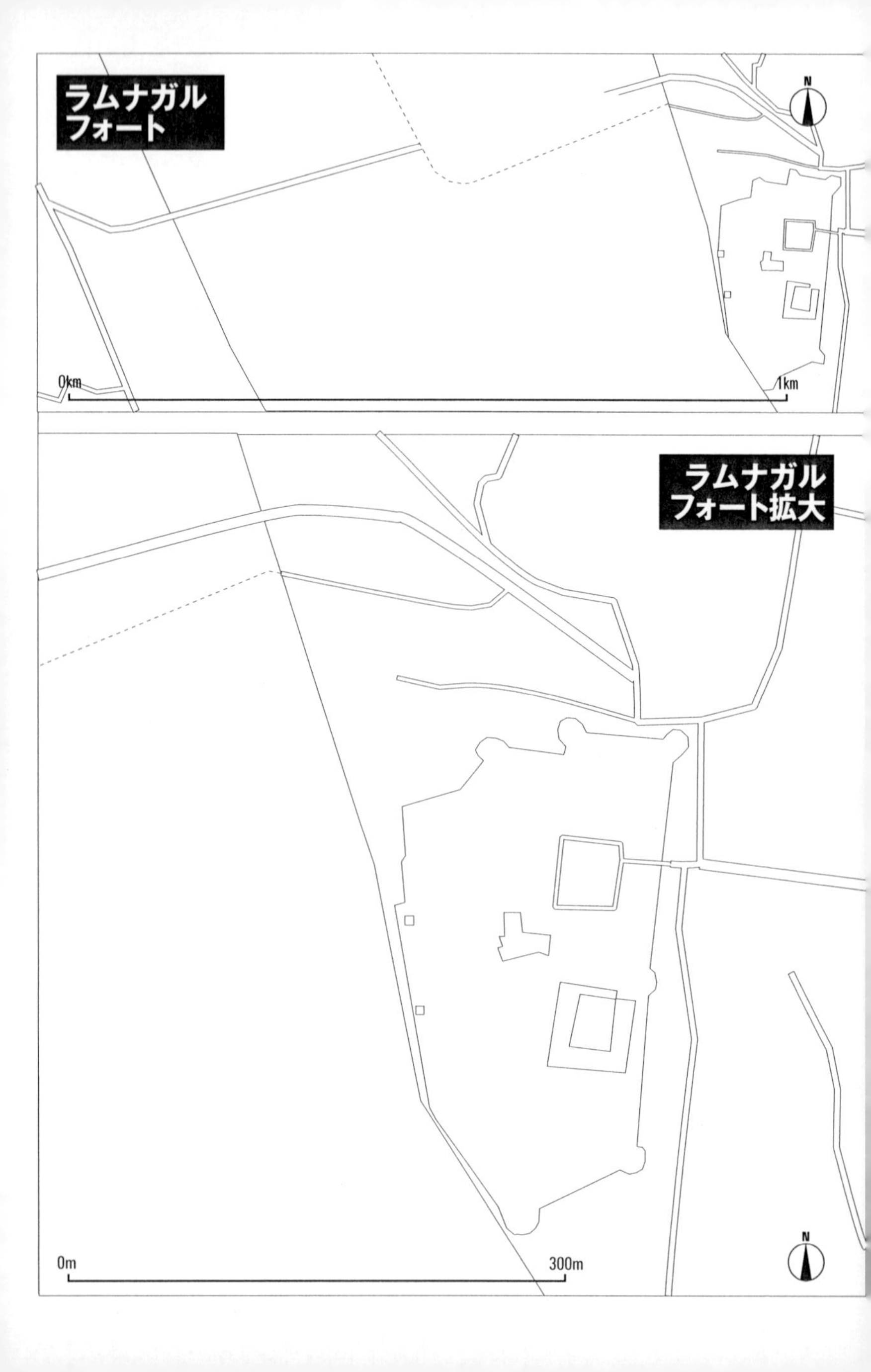
ラムナガル
フォート
N
0km
1km
ラムナガル
フォート拡大
0m
300m
N

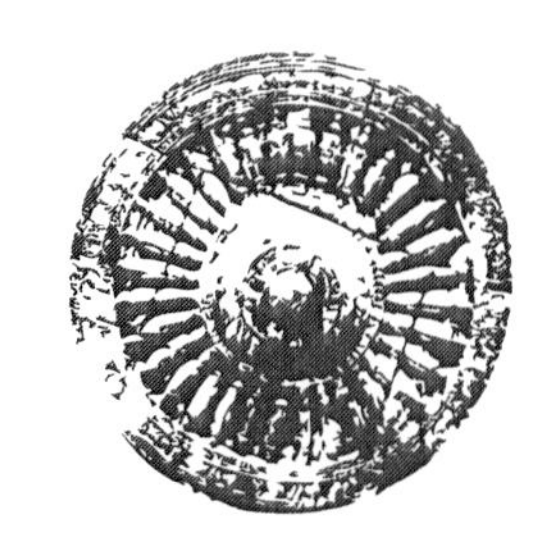

【車輪はつばさ】

南インドのアイラヴァテシュワラ寺院には
建築本体に車輪がついていて
寺院に乗った神さまが
人びとの想いを運ぶと言います

An amazing stone wheel of the Airavatesvara Temple
in the town of Darasuram, near Kumbakonam in the South India

まちごとインド
北インド 014

バラナシ

ガンジス河と「世界軸」

［モノクロノートブック版］

「アジア城市（まち）案内」制作委員会
まちごとパブリッシング
http://machigotopub.com

・本書はオンデマンド印刷で作成されています。
・本書の内容に関するご意見、お問い合わせは、発行元の
　まちごとパブリッシング info@machigotopub.com までお願いします。

まちごとインド
新版 北インド014バラナシ
～ガンジス河と「世界軸」

2020年 9月11日　発行

著　者　「アジア城市（まち）案内」制作委員会
発行者　赤松　耕次
発行所　まちごとパブリッシング株式会社
〒181-0013　東京都三鷹市下連雀4-4-36
URL　http://www.machigotopub.com/
発売元　株式会社デジタルパブリッシングサービス
〒162-0812　東京都新宿区西五軒町11-13
清水ビル3F
印刷・製本　株式会社デジタルパブリッシングサービス
URL　http://www.d-pub.co.jp/

MP318

ISBN978-4-86143-470-9 C0326　　Printed in Japan